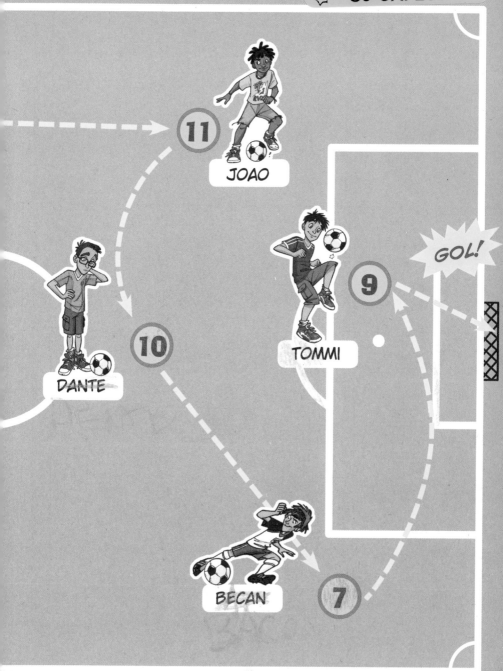

Luigi Garlando

GOL!

NON PERDERTI
LE AVVENTURE DELLE CIPOLLINE:

1. Calcio d'inizio

2. E ora... tutti in Brasile!

3. Inizia il campionato

4. Sognando la finalissima

5. La sfida decisiva

6. In trasferta a Parigi

7. Una scelta importante

8. Arriva il nuovo capitano

9. Il grande ritorno

10. L'ora della rivincita

11. Intervista con il campione

12. La nuova squadra

13. Un campionato difficile

14. Cina... stiamo arrivando!

15. Tommi non mollare!

⚽ Supergol!
Scendi in campo
con le Cipolline!

⚽ Supergol! 2
Le Cipolline in Nazionale

...E TANTE ALTRE IN ARRIVO!

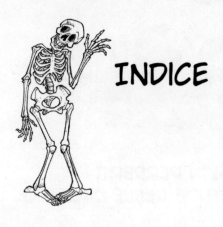

INDICE

1. La gran finale 5

2. Il rigore decisivo 17

3. Una nuova squadra 28

4. Un provino alla panna 40

5. Un lago pieno di dubbi 53

6. Come un carillon 65

7. La grande sfida 77

8. E adesso siamo in sette! 91

9. Non petali, ma fiore 106

10. Una tempesta di gol 119

11. E ora tutti in Brasile! 131

Diritto di giocare a calcio... divertendosi! 146

Chi è Luigi Garlando? 148

Chi è Stefano Turconi? 150

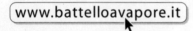

*Grazie per i suoi preziosissimi consigli a Giovanni,
tifoso del Mantova e primo lettore di* Gol!

Progetto editoriale: Marcella Drago e Clare Stringer
Progetto grafico: Gioia Giunchi e Laura Zuccotti
Colore: Davide Turotti

I Edizione 2006

© 2006 - **EDIZIONI PIEMME** Spa
                20145 Milano - Via Tiziano, 32
                www.edizpiemme.it - info@edizpiemme.it

Stampa: Mondadori Printing S.p.A - Stabilimento NSM - Cles (TN)

Luigi Garlando

Calcio d'inizio

Illustrazioni di
Stefano Turconi

PIEMME *Junior*

A tutti i piccoli calciatori
in panchina

1
LA GRAN FINALE

Se ti piace il calcio, non puoi assolutamente perderti questa partita. Credimi. Goditi lo spettacolo e alla fine mi dirai se non avevo ragione.

Le squadre sono già in campo: quelli in maglia rossa e calzoncini neri sono i pulcini dei Diavoli Rossi, quelli in maglia blu e calzoncini bianchi sono i pulcini dell'Accademia Blu. Come ogni anno, stanno per disputare la finale del campionato. Gira e rigira, vincono sempre loro: o i Diavoli o l'Accademia. Non si scappa. Sono le società giovanili più forti di Milano, quelle in cui tutti i ragazzi vorrebbero giocare, perché sono legate a Milan e Inter, che ogni anno scelgono i più bravi per inserirli nelle loro squadre.

Lo vedi quel signore con la camicia bianca, seduto nella zona destra della tribuna? No, non quello che ha una specie di fungo in testa. L'altro, quello accanto, biondo, con gli occhiali scuri che sta leg-

gendo il giornale. Lui. Quel signore è stato un bravo difensore del Milan, ha giocato anche in Nazionale e ora fa l'osservatore, cioè segue le partite dei ragazzini un po' dappertutto e cerca piccoli campioni da far crescere nel grande Milan.

In genere passano al Milan i ragazzi più bravi dei Diavoli Rossi, mentre quelli dell'Accademia Blu vanno a giocare nell'Inter. Quindi possiamo dire che la stessa grande rivalità che separa Inter e Milan, separa anche Accademia e Diavoli. Questo ti aiuta a capire l'importanza della finale che sta per cominciare e l'impegno che ci metteranno le squadre. Nessuno vuole perdere, altrimenti dovrà aspettare un anno intero per la rivincita e durante tutta l'estate dovrà subire le prese in giro dei rivali...

Te lo dicevo: sarà una partita emozionante, ci divertiremo senz'altro.

Ma dal momento che manca ancora qualche minuto al fischio d'inizio, ti faccio conoscere una persona importante nella storia che sto per raccontarti. È seduto anche lui in tribuna, l'hai visto prima: è quel signore con quella specie di fungo in testa, che in realtà è un cappello da cuoco. Monsieur Gaston Champignon infatti è un cuoco.

La cosa buffa è che il suo cognome, Champignon, in francese significa proprio "fungo"! Perciò se fosse italiano, dovremmo chiamarlo Gastone Fungo. Ma non è la sola cosa buffa nella vita del nostro simpaticissimo "signor Fungo". Come vedi, se ne va sempre in giro con un mestolo di legno anche quando non sta in cucina e non si separa mai dal suo gatto grigio, Pentola.

Pentola si chiama così perché aveva il vizio di addormentarsi nelle pentole del ristorante e un paio di volte ha rischiato anche di finire arrosto. Perciò il signor Champignon ha messo un cuscino sul fondo di un vecchio pentolone che non usava più e da allora il gatto si è abituato a entrare solo in quello per schiacciare i suoi pisolini.

Pentola è il gatto più dormiglione del mondo. Se chiude gli occhi, puoi anche prendere un cucchiaio, picchiarlo sulla pentola come fosse un tamburo e quello continua a sognare pesci alla griglia e topi in trappola. Se c'è troppa luce, il signor Fungo mette un coperchio sul pentolone e Pentola è il gatto più felice del mondo.

Gaston Champignon, da giovane, è stato un bravo centrocampista, un numero 10 di grande classe,

come Platini e Zidane, i due campioni francesi che hanno giocato nella Juventus. Se Gaston è arrivato soltanto in serie B è perché aveva un problemino: alla fine di ogni partita gli scoppiava una fame da lupo e mangiava per tre. Prima svuotava il suo piatto, poi spazzolava gli avanzi dei suoi compagni di squadra. L'allenatore lo guardava con le mani nei capelli, preoccupatissimo, e ogni martedì, alla ripresa degli allenamenti, metteva il suo numero 10 sulla bilancia.

«Lo vedi, Gaston?» lo rimproverava. «Anche questa settimana sei aumentato di due chili. Dovrai allenarti il doppio degli altri.»

Perciò, se i compagni di squadra di Champignon facevano dieci giri di campo di corsa, lui ne faceva venti; se i compagni eseguivano cinquanta flessioni sulle braccia, a lui ne toccavano cento. Alla fine di ogni allenamento era talmente stanco che non sentiva neppure la fame: solo il sonno. E filava dritto a letto. Così alla domenica, giorno della partita, Gaston si presentava di nuovo in perfetto peso forma. Il guaio è che, subito dopo, tornava al ristorante e riprendeva in un attimo i due chili che aveva perso tanto faticosamente...

Insomma, il giovane Gaston Champignon era una specie di fisarmonica che ogni settimana si gonfiava e si sgonfiava, finché un bel giorno, stanco dei giri di campo e delle flessioni sulle braccia, lasciò il calcio per dedicarsi alla vera, grande passione della sua vita: la cucina. Grazie ai soldi guadagnati col pallone aprì un ristorante a Parigi che in pochi anni diventò uno dei più apprezzati di Francia.

Il ristorante di Gaston Champignon aveva un nome strano quasi come quello del suo gatto: *Petali in pentola*. Ed erano strani anche i piatti che preparava: tutti a base di fiori. Pasta al pomodoro con garofano, polpettine ai nontiscordardimé, insalata di spinaci con violette, soufflé dolci al geranio... Un menu speciale che ebbe subito un successo incredibile. Attori, cantanti, sportivi, uomini politici

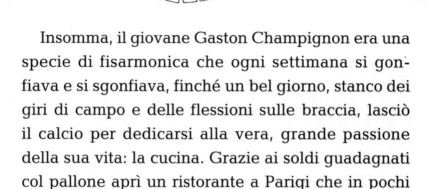

GASTON CHAMPIGNON
E PENTOLA

e prestigiosi scrittori cominciarono a fare la fila per sedersi ai tavoli del locale di Gaston Champignon, dove l'aria era sempre profumata come in un giardino di primavera.

Una sera al *Petali in pentola* entrò una ragazza bellissima, avvolta da uno scialle bianco. Gaston la vide dalla cucina e il cuore cominciò a battergli, come quando faceva le cento flessioni sulle braccia. Si lavò le mani e volle servirle di persona un risotto ai petali di rosa. Altre rose (con il gambo, le spine e tutto il resto) gliele spedì al Teatro dell'Opera dove quella ragazza italiana, Sofia, ballava ogni sera. Gaston e Sofia si sono sposati nella chiesa di Notre-Dame due anni dopo. Cinque anni fa si sono trasferiti da Parigi a Milano, dove la signora Champignon ora insegna danza alle giovani ballerine. Monsieur Champignon ha continuato a fare il cuoco: ha aperto un ristorante *Petali in pentola* alla periferia di Milano che ha avuto successo come quello di Parigi.

Ora mi chiederai: ma cosa ci fa il signor Fungo qui in tribuna con il mestolo in mano e un gatto addormentato sulle gambe? Semplice: fa il tifo.

Nel palazzo di via Pitteri che ospita il ristorante

Petali in pentola abita un ragazzo di nome Tommaso, che quasi tutti chiamano Tommi.

Un giorno il cuoco era andato in cortile per buttare nei bidoni della spazzatura avanzi di cucina. Tommi stava gonfiando una gomma della sua bici, inginocchiato a terra, e tra le mani gli era rotolato un mandarino ammaccato caduto dal sacco di Champignon. Tommi si era alzato e aveva cominciato a palleggiare con il mandarino come se fosse una palla. Destro, sinistro, destro, sinistro… Non gli cadeva mai.

Il cuoco era rimasto a osservare ammirato: quel ragazzo ci sapeva fare davvero con i piedi. Volle sfidarlo: «E questo ti riesce?».

Il signor Fungo aveva preso un altro mandarino, aveva palleggiato un paio di volte, poi con un colpo di tacco lo aveva lanciato in aria. Mentre il mandarino scendeva, si era tolto il cappello da cuoco, aveva piegato leggermente le ginocchia in modo che il frutto si fermasse sulla sua testa senza rimbalzare a terra, si era rimesso il cappello e aveva allargato le braccia, come a dire "il mandarino non c'è più…".

Tommaso era rimasto a bocca aperta. Il cuoco gli aveva allungato una mano: «Piacere. Io mi chiamo Gaston. Gaston Champignon».

«Tommi» aveva risposto il bambino, stringendogli la mano.

Così è nata la loro amicizia.

Dopo ogni partita Tommi passava dalla cucina del *Petali in pentola* a raccontare com'era andata e poi restava lì ad ascoltare vecchie storie di calcio francese e a farsi spiegare le virtù dei fiori.

Oggi Gaston Champignon è seduto qui in tribuna per sostenere il suo piccolo amico Tommi, che gioca nell'Accademia Blu. Attenzione, l'arbitro ha fischiato! La finalissima è cominciata!

Qual è Tommi? No, non cercarlo in campo. Tommi è uno dei bambini in panchina, il più piccolo, quello che si sta rosicchiando le unghie della mano destra. Dev'essere molto nervoso…

Tommaso ha dieci anni ma gioca con quelli di dodici perché è davvero molto bravo con la palla tra i piedi. Un piccolo fenomeno. Solo che, naturalmente, giocando contro avversari più grossi di

TOMMI

lui, spesso è in difficoltà. Guarda per esempio il capitano dei Diavoli Rossi, il difensore col numero 5. È alto quasi come l'arbitro, di testa è imbattibile, e ha due gambe che sembrano due tronchi d'albero. Tira delle punizioni spaventose. Un braccio di quel Diavolo Rosso è più grosso di una gamba di Tommi...

Si chiama Giordano, è il più forte della squadra. L'osservatore con gli occhiali scuri è venuto soprattutto per lui. Giordano sicuramente il prossimo anno giocherà nelle giovanili del Milan.

Quando entrerà in campo, Tommi, che è un attaccante, dovrà vedersela proprio col terribile Giordano. Per ora l'attaccante dell'Accademia è Loris, il figlio dell'allenatore, che però non ha ancora toccato palla perché i Diavoli sono partiti fortissimo e stanno assediando gli avversari nella loro area. L'Accademia è in grossa difficoltà. Anche per questo Tommi si sta rosicchiando le unghie.

L'allenatore dell'Accademia, in piedi davanti alla panchina, urla come al mercato: – Svegliatevi! È di notte che si dorme, non di giorno!

Urlano anche i genitori in tribuna. Pentola dorme.

Attenzione! Grande pericolo. L'arbitro ha fischiato una punizione al limite dell'area dell'Accademia.

Il cuoco si massaggia il baffo sinistro: quando fa così significa che è preoccupato o che sta per succedere qualcosa che non gli piace. Quando invece si tocca il baffo destro, in genere vuol dire che ha avuto una buona idea o un bel presentimento.

Champignon ne direbbe quattro a quel giovane allenatore col codino: non si tratta così un portiere che ha appena subito un gol. Bisogna consolarlo, non accusarlo.

Anzi, non si tratta nessuno così. Questa sarà anche una finale di campionato, ma deve restare un divertimento tra ragazzi.

Il piccolo Beppe sta aspettando la ripresa del gioco sulla linea di porta, con le mani sui fianchi e la testa bassa, come se avesse appena ritirato una pagella piena di brutti voti.

Tutta l'Accademia è giù di morale, ha subito il colpo e fatica a riprendersi nonostante l'incitamento dei propri tifosi.

I Diavoli ne approfittano e si buttano ancora all'attacco. L'azione è bellissima: parte da Giordano, passa dal numero 10 e si sposta a destra, dove il numero 7 crossa per il numero 9, che con una splendida rovesciata mette la palla all'incrocio dei pali. Imprendibile per Beppe: 2-0.

Un gol davvero bello.

Gaston Champignon, sportivamente, applaude insieme ai tifosi avversari.

Walter, l'allenatore col codino, s'infuria di nuovo:

– Siamo a maggio, non a dicembre! Non è tempo di presepe! Avete fatto le belle statuine! Tutti fermi a guardare! Siete dei polli! Polli! Polli!

L'arbitro fischia la fine del primo tempo. Pentola si sveglia.

Il signor Champignon lo accarezza e lo rassicura:
– Ora entra Tommaso e vinciamo la partita. Tranquillo.

16

2
IL RIGORE
DECISIVO

Le squadre sono rientrate negli spogliatoi. In campo sono rimaste solo le riserve che si sgranchiscono un po' le gambe. Sia quelle dei Diavoli Rossi sia quelle dell'Accademia si sono messe in cerchio e si passano la palla. Scaldano i muscoli: da un momento all'altro ci potrebbe essere bisogno di loro.

Tommi riconosce il signor Fungo in tribuna e lo saluta con un cenno della mano. Gaston risponde agitando il mestolo di legno. Tommi saluta anche sua mamma che è seduta al centro della tribuna, insieme agli altri genitori dell'Accademia. Il papà non c'è, sta lavorando, anche se oggi è sabato. Il papà di Tommi di lavoro guida gli autobus, per la precisione la linea numero 54 che arriva vicino al Duomo.

A Tommaso spiace che non sia lì a vedere la finale, ma sa bene che a suo papà il calcio proprio non interessa. Le sue grandi passioni sono la musica e il

modellismo: nel tempo libero se ne sta in poltrona con una grande cuffia sulle orecchie, sorridendo da solo e muovendo le braccia come se stesse dirigendo un'orchestra, oppure si mette gli occhialini neri e costruisce velieri incredibili sul tavolo della sala. L'anno scorso Tommaso ha affondato una di quelle navi con una pallina da tennis. La solita mania di prendere a calci tutto ciò che gli capita a tiro...

Tommi era appena rientrato da scuola, aveva trovato una pallina da tennis in corridoio, l'aveva sollevata con un palleggio, poi, al volo, aveva provato a centrare la porta della sua cameretta. Il tiro non gli era venuto benissimo e aveva centrato per sbaglio la porta della sala. La palla aveva rimbalzato per terra e, come fosse uscita dal cannone dei pirati, aveva mandato in mille pezzi il bellissimo veliero che navigava a centro tavola.

Davanti a quel disastro Tommi era rimasto a bocca aperta e aveva perso un po' di colore sulle guance.

La mamma aveva guardato l'orologio e gli aveva detto: «Abbiamo tre ore e quarantacinque minuti per rimettere insieme quella barca. Altrimenti papà ti rincorrerà col suo autobus fino in Duomo...».

Avevano incollato l'ultimo legnetto proprio nel

momento in cui papà aveva suonato alla porta. Tommi era andato ad aprire.

«Ciao, pa'. Com'è andata oggi?»

«Una fermata dopo l'altra, come al solito» aveva risposto togliendosi il berretto blu. «E voi?»

«A gonfie vele…» aveva sorriso la mamma, strizzando l'occhio a Tommaso.

I genitori e i tifosi dei Diavoli Rossi stanno commentando soddisfatti il primo tempo. Quelli dell'Accademia discutono animatamente le mosse da fare per ribaltare la partita nel secondo tempo. Sono tutti d'accordo: serve la velocità e la grande tecnica di Tommi. Ora entrerà e cambieranno le cose.

Lo pensano soprattutto Dante e Spillo, i suoi due migliori amici. Li vedi? Sono nel gruppo dei tifosi dell'Accademia e tengono in mano due manici di legno, in mezzo ai quali c'è una specie di lenzuolo bianco. Sopra c'è scritto qualcosa.

Dante è quello più piccolo e magrolino. Ha degli occhiali un po' troppo grandi, forse. Una volta Spillo gli ha chiesto se li usa anche per andare sott'acqua… Dante va bene a scuola, gli piacciono le poesie e in matematica è un vero mostro. Spillo molto meno…

Il vero nome di Spillo è Riccardo, ma lo chiamano Spillo proprio perché non assomiglia affatto a uno spillo... Come vedi è abbastanza robusto e siccome gli piacciono i jeans enormi che si gonfiano sul sedere e si afflosciano sulle scarpe, sembra ancora più grasso. Quella che ha al collo non è una catena vera, è di plastica. La tiene così, come John Cena, il campione di wrestling. E, come John Cena, Spillo, che è appassionatissimo di wrestling, porta il cappello al contrario, con la visiera girata sulla nuca.

Dante e Tommi sanno che è meglio non incrociarlo quando ha appena visto in Tv i combattimenti di quei pagliacci che si picchiano per finta sul ring e a volte si fanno male sul serio. Spillo è capace di prenderti, sollevarti per aria e giocare a imitare le loro mosse... Meno male che è una montagna di bontà e non farebbe male a una mosca.

SPILLO

Sul lenzuolo teso tra i due manici di scopa c'è scritto: *Tommi bravo, finirà in Nazionale!*

Dante è arrabbiatissimo: – Lo sapevo che non dovevo fidarmi di te. Ti avevo detto di scrivere: *Tommi eccezionale, finirà in Nazionale!*

Spillo è in difficoltà, come con le maestre: – Non sapevo se "eccezionale" si scrive con una o due zeta... Per non rischiare di sbagliare ho scritto "bravo".

– Ma "bravo" non fa rima con Nazionale!

Spillo se la cava così: – Tommi non deve fare rima, deve fare gol.

La partita ricomincia, ma Tommaso è ancora seduto in panchina e a questo punto non avrà più unghie da rosicchiare... Walter, l'allenatore dell'Accademia, deve avere strigliato la squadra negli spogliatoi perché i blu sono rientrati in campo molto determinati e finalmente stanno attaccando. I loro tifosi li incitano a gran voce e sperano nella grande rimonta.

Il papà di Giordano, il fortissimo difensore dei Diavoli Rossi, si mette le mani nei capelli: suo figlio questa volta è stato superato e per rimediare l'errore ha dovuto sgambettare Saverio, il numero 7 dell'Accademia, che stava per tirare in porta.

Potrebbe essere calcio di rigore... Infatti l'arbitro fischia e col dito punta il dischetto di gesso.

La macchia blu dei tifosi dell'Accademia esulta in tribuna: un'occasione unica per dimezzare lo svantaggio e riaprire la partita! Loris prende il pallone, lo pulisce passandoselo sulla maglietta e lo posa delicatamente a terra, come se fosse di vetro.

Tirerà lui il calcio di rigore. Ma non mi sembra troppo tranquillo.

Lo vedi come muove le gambe? Non riesce a stare fermo. Sembra che abbia un granchio nei calzoncini... E poi continua a guardare suo papà in panchina. Ha troppa paura di sbagliare. Tirare un rigore in una finalissima non è mai una cosa semplice. Attenzione. L'arbitro ha fischiato. Loris, che ha il codino come suo papà, prende la rincorsa...

Lo sapevo... Un tiro troppo debole. Il portiere non ha avuto problemi a tuffarsi sulla sua destra e a bloccare il pallone. Povero Loris, forse gli tremavano le gambe. L'entusiasmo dei tifosi dell'Accademia si sgonfia come una ruota bucata: – Noooooooo...

Mister Walter si dispera davanti alla panchina con i pugni alzati: – Pollo! Pollo! Sei un pollo! Come si può calciare un rigore in quel modo? Pollo! Pollo!

Gaston Champignon scuote ancora la testa: non gli è per nulla simpatico quel giovane allenatore che urla e insulta i suoi giocatori.

I Diavoli Rossi, risvegliati dal pericolo scampato, tornano ad attaccare come nel primo tempo. Guadagnano un calcio d'angolo. Si porta in attacco anche Giordano, per sfruttare la sua altezza.

A vederlo dalla tribuna sembra un faro tra gli scogli perché è molto più alto degli altri giocatori. E infatti la colpisce lui, di testa, la palla calciata dalla bandierina. Beppe si tuffa, ma riesce solo a sfiorarla prima che entri in rete, nell'angolino: 3-0.

Siamo ormai alla metà del secondo tempo. Addio finale… Dante e Spillo posano a terra il loro striscione.

Dante è arrabbiato nero: – Cosa aspetta quell'allenatore a far entrare Tommi?

Appena Walter urla per la centesima volta «Svegliatevi!», Spillo si alza in piedi: – Svegliati tu, e fai entrare Tommaso!

I tifosi dell'Accademia lo applaudono in coro.

Tommi entra in campo a cinque minuti dalla fine, al posto di Loris. Tu mi chiederai: cosa può fare in cinque minuti con gli avversari in vantaggio di tre gol? Questo può fare, per esempio. Guardalo bene.

I tifosi dei Diavoli Rossi sono ammutoliti: credevano di avere la vittoria in tasca e invece… Quelli dell'Accademia sono tutti in piedi e si sgolano per i blu: – Ancora uno! Forza ragazzi! Ancora uno!

Pentola continua a dormire.

I blu sono di nuovo in attacco. I rossi hanno perso completamente la testa e hanno il terrore del pareggio. Dopo i due gol, tutti tengono d'occhio Tommi.

IN QUATTRO SI LANCIANO SU TOMMI, CHE HA IL PALLONE.

TOMMI LO PASSA SUBITO A SAVERIO CHE È LIBERO…

SAVERIO, PRONTISSIMO, TIRA A RETE…

IL PORTIERE È SCAVALCATO…

…MA GIORDANO RESPINGE COL BRACCIO: RIGORE!

L'arbitro informa che dopo il calcio di rigore fischierà la fine. Quindi, se l'Accademia Blu segna il rigore, si giocheranno i tempi supplementari; se lo sbaglia, i Diavoli Rossi avranno vinto finale e campionato. Chi ha il coraggio di tirare un rigore del genere, che vale una stagione? Tu ce l'avresti?

In tribuna, dopo le urla di entusiasmo e di disappunto, è calato il silenzio. In mezzo al campo i ragazzi dell'Accademia si guardano tra di loro, poi tutti guardano Tommi. Tommi raccoglie il pallone e cammina verso il dischetto del rigore.

Gli batte forte il cuore.

3
UNA NUOVA SQUADRA

Tommi ha calciato bene il rigore, ha spiazzato addirittura il portiere, che si è buttato dall'altra parte. Un tiro angolatissimo, imparabile. È stato solamente sfortunato: il pallone ha colpito un palo e poi l'altro prima di uscire! E ha attraversato tutta la linea di porta!

L'arbitro fischia la fine della partita. I Diavoli Rossi hanno vinto il campionato, i giocatori si abbracciano a centrocampo, i loro tifosi scendono dalle tribune e fanno festa. L'allenatore sta spruzzando acqua minerale sui suoi piccoli campioni come se fosse champagne.

Appena ha visto la palla rimbalzare sul secondo palo e uscire, Tommi ha sentito le gambe molli come i pugili quando beccano un gran pugno sul ring. Si è lasciato cadere sulle ginocchia.

Era sicuro che quel pallone sarebbe finito in rete,

non aveva mai sbagliato un calcio di rigore prima. E invece: addio campionato...

Gli viene da piangere.

I compagni si avvicinano, gli danno delle pacche sulle spalle. Saverio lo aiuta ad alzarsi e gli dice: – Non importa, non è colpa tua. Anzi, senza i tuoi gol avremmo fatto una figuraccia...

La mamma gli toglie la terra dalle ginocchia e gli sorride. Parleranno a casa, sa che in questo momento è meglio non dirgli niente. E farebbe bene a star zitto anche Walter, l'allenatore dell'Accademia Blu, invece di chiedere a Tommi: – Come puoi sbagliarmi il rigore decisivo all'ultimo secondo?

Monsieur Champignon è un tipo tranquillo, quasi come il suo gatto Pentola. Hai visto che faccia allegra che ha. Se uno va in giro con un mestolo di legno e un fungo bianco in testa vuol dire che non gli manca la voglia di scherzare. Ma le parole di quell'allenatore lo hanno fatto un pochino incavolare, se mi permetti la parola. Infatti si tocca il baffo sinistro e risponde: – E lei, signor allenatore, come ha potuto tenere in panchina tanto a lungo un giocatore bravo come Tommi?

Walter si volta e guarda il cuoco con un sorrisino

ironico: – Dal cappello non avrei detto che lei è un intenditore di calcio...

– E da come ha guidato questa finale direi che di calcio lei non se ne intende affatto – ribatte Champignon.

Walter, un po' innervosito, tira fuori dal portafoglio una figurina Panini, una di quelle da attaccare sugli album dei calciatori: – Questo sono io qualche anno fa: ho giocato in serie B.

Anche il cuoco tira fuori dal portafoglio una fotografia. – Ho giocato in serie B anch'io e qui sono insieme a un mio vecchio compagno di squadra, forse riesce a riconoscerlo...

Walter guarda la foto e chiede stupito: – Michel Platini?

Il signor Fungo si rimette in tasca il portafoglio: – Sì, uno dei più grandi calciatori della storia del calcio. E lei dovrebbe conoscere anche un altro francese famoso, il barone Pierre De Coubertin, che ripeteva sempre: «L'importante non è vincere, ma partecipare». Ma evidentemente non lo conosce, dal momento che oggi aveva in panchina quattro ragazzi e di questi quattro ha fatto giocare solo Tommi per cinque minuti.

Risponde l'allenatore: – Quei ragazzi hanno giocato spesso durante il campionato, nella finale ho tenuto in campo i migliori per cercare di vincere. Avessimo battuto i Diavoli, sarebbero state contente anche le riserve.

– Si sbaglia – interviene una donna con un cappellino bianco, probabilmente la mamma di una riserva. – Mio figlio avrebbe preferito perdere, ma con la possibilità di giocare e di sentirsi utile alla squadra –. Ha una faccia grintosa, come le donne al mercato quando cercano di ottenere lo sconto.

– La signora ha ragione – commenta Champignon. – Il primo consiglio che un allenatore deve dare ai suoi giocatori è questo: divertitevi! Perché chi si diverte non perde mai.

Attorno al cuoco e all'allenatore si sono radunati quasi tutti i genitori dell'Accademia.

Il padre di Saverio aggiunge: – E forse, se avesse fatto giocare anche i ragazzi in panchina, che erano più freschi, avremmo avuto più possibilità di vincere…

– Questo è tutto da dimostrare – risponde, seccato, l'allenatore.

– Mi sembra che i gol li abbia segnati Tommi che

stava in panchina, non suo figlio Loris – ribatte la signora grintosa col cappellino bianco.

Walter allarga le braccia. – Comunque, se trovate un allenatore migliore, io mi faccio da parte.

Interviene il padre di Saverio: – Non uno "migliore", ma un allenatore al quale interessi di meno la classifica e di più il divertimento dei nostri ragazzi. Ne parlerò con gli altri genitori e le faremo sapere.

Pentola si sveglia di colpo, rizza il pelo e mostra i dentini con una specie di ruggito.

Il cuoco lo accarezza. – Caro allenatore, credo che lei non piaccia neppure al mio gatto…

Scoppiano tutti a ridere. Walter se ne va con passo deciso verso gli spogliatoi, offeso.

Se ne vanno anche i genitori.

Gaston Champignon allunga la mano a Tommi: – Complimenti, piccolo Platini, sei stato bravissimo. Il primo gol è stato semplicemente fantastico. *Superbe!* E adesso corri a farti la doccia.

Tommi gli stringe la mano, con un sorriso stiracchiato che gli costa un po' di fatica.

Il cuoco e la mamma di Tommaso lo seguono con gli occhi mentre attraversa il campo per raggiungere i compagni nello spogliatoio.

– Devo ringraziarla per come ha difeso il mio Tommi e per le belle parole che ha detto – dice la donna, che finora era stata zitta.

Alla mamma di Tommi non piace parlare davanti a tanta gente. Anzi, non le piace parlare in genere. Forse per questo di lavoro fa il postino: consegna le parole degli altri, parole scritte che non fanno rumore.

Lucia è una giovane mamma, molto dolce. Distribuisce la posta in bicicletta. Le piace pedalare soprattutto d'inverno perché, quando sente il freddo negli occhi, le sembra di tornare tra le montagne dov'è nata e dove c'è sempre tanto silenzio. Non riesce proprio a capire come suo marito possa divertirsi a suonare i piatti nella banda dei tranvieri: tutto quel fracasso…

– Se proprio vuole ringraziarmi, – risponde Champignon – le dico come può fare: venga stasera con suo marito e Tommi nel mio ristorante. Mi è venuta una certa idea e ho bisogno di parlarvene. Sarete miei graditissimi ospiti.

Lucia sorride: – La ringrazio, ma stasera Donato lavora. Possiamo fare domani, se le va bene…

– Va benissimo! Vi aspetto domani sera. Oggi comincerò a preparare i fiori per i vostri piatti.

Il giorno dopo, alle 20.30, la famiglia di Tommi entra nel ristorante *Petali in pentola* che è pieno di gente, come al solito, perché il menu fiorito di Gaston Champignon ha avuto successo anche in Italia. La signora Sofia accoglie gli ospiti con un bel sorriso e mostra il tavolo vicino alla finestra, il miglior tavolo del locale, che il marito cuoco ha riservato per loro. Poi fa strada con una specie di inchino e un gesto della mano molto elegante. Si vede proprio che è stata una ballerina.

Naturalmente al centro del tavolo c'è uno splendido vaso di fiori colorati.

È molto colorata anche la maglia di Tommi: gialla, blu, azzurra, con uno scudetto di stoffa cucito sopra e la scritta *San Caetano*, che è il nome di una squadra di calcio brasiliana. Si è messo anche un po' di gel sui capelli neri.

Ecco il signor Fungo che spunta dalla cucina con i piatti in mano e un gran sorriso sotto i baffi. – Carissimi ospiti, concedetemi l'onore di servirvi personalmente. Per cominciare, vi propongo tartine con salmone e petali di rosa – esclama. – *Et voilà...*

Et voilà è un'altra espressione che i francesi usano molto spesso e significa "ecco a voi".

34

Devi leggerla così: *evualà*.

Tommaso, divertito, osserva nel piatto il piccolo sandwich ricoperto da un petalo di rosa gialla, mentre il cuoco spiega: – Fettine di salmone su pane nero imburrato e aromatizzato con una piantina di aneto; il rametto sopra il petalo è di equiseto. *Bon appetit, mes amis!*

– Speriamo di non ingoiare una spina... – scherza il papà di Tommi che ha sempre la battuta pronta.

A volte Donato ne dice di così stupide che sua moglie diventa tutta rossa. Tommaso invece si diverte sempre.

Dopo le tartine, mangiano tortiglioni al tonno e papavero, poi filetti di merluzzo con salsa allo zafferano e gelsomino, e infine un sorbetto al sambuco. Una cena davvero squisita.

Donato applaude entusiasta, come quando in poltrona ascolta il suo musicista preferito. Esclama: – Signor Champignon, lei merita un mazzo di complimenti!

Il cuoco si toglie il suo cappellone e fa un inchino di ringraziamento che fa sorridere anche la gente dei tavoli vicini. Poi si mette a sedere, insieme a sua moglie. Il papà di Tommi racconta della sua passio-

ne per i velieri in miniatura, che rischiano sempre di essere affondati dalle pallonate del figlio.

La signora Sofia sorride: – Conosco il problema. Al mio corso ho due gemelline terribili, che invece di danzare con la palla, la prendono a calci. Hanno appena distrutto una vetrata...

Finalmente prende la parola Gaston Champignon: – È ora che vi parli della mia idea –. Si rivolge a Tommi: – Voglio creare una nuova squadra di calcio e in questa squadra tu sarai il centravanti e il capitano.

Tommi, sorpreso, guarda la mamma. Poi risponde: – Ma io gioco già nell'Accademia Blu...

Gaston Champignon riprende: – Lo so, l'ho visto. Ma in quella squadra giochi poco e ti diverti ancora meno. Io voglio creare una squadra in cui tutti i ragazzi avranno la possibilità di giocare e di divertirsi, anche le riserve. Cercheremo di vincere, naturalmente, diventeremo i più forti, te lo assicuro, ma il nostro primo obiettivo sarà allenarci e divertirci in allegria, da veri amici.

– E lei farà l'allenatore?

– Certo. Ho una gran voglia di tornare in campo!

– Oltre a me, quali sarebbero gli altri giocatori?

– Nessuno per il momento – risponde il cuoco.

Il papà di Tommi sorride al figlio. – Allora fate una squadra di tennis: lì basti tu...

– La squadra la formeremo insieme io e te – spiega Gaston a Tommi. – Siamo a maggio, il campionato riprende in autunno. Abbiamo tutta l'estate per trovare i giocatori, per allenarci, fare partite amichevoli e prepararci alla prossima stagione.

– Ma tutti i miei amici bravi a giocare a pallone sono già all'Accademia Blu o ai Diavoli Rossi – risponde Tommi.

– Perché, a pallone possono giocare solo quelli bravi?

– Se vogliamo vincere e diventare i più forti come dice lei, credo che avremo bisogno di avere dei bravi giocatori.

– È qui che ti sbagli Tommi. E te lo dimostra la cena di stasera. Hai mangiato bene?

– Benissimo.

– Se ieri io ti avessi detto: «Tommi, vieni al mio ristorante che ti faccio mangiare rose, gelsomini e fiori di sambuco», tu di sicuro avresti pensato: «Che schifo... i fiori non si mangiano, i fiori si mettono nei vasi». E invece, come vedi, ti sono piaciuti. E nel cal-

cio è la stessa cosa: dipende tutto da come sai usare gli ingredienti. A fare piatti buoni con carne e pesce sono capaci tutti. A farli con gerani e margherite sono capaci solo i cuochi migliori, modestamente... E così accade col pallone: gli allenatori migliori sono capaci di formare squadre forti anche senza i grandi campioni. Per esempio, ieri alla partita c'erano due ragazzi con uno striscione in mano che facevano un gran tifo per te: non sono tuoi amici?

Tommi sorride: – Sono i miei migliori amici: Dante e Spillo. Ma loro non giocano a pallone... Dante è bravo a scuola e Spillo è più portato per il wrestling che per il calcio...

– So cosa stai pensando, Tommi – dice Gaston Champignon. – «Questo cuoco strambo non crederà mica di mettermi in squadra con un secchione e con un ciccione?» Ma ricordati come giudicavi i fiori prima di mangiarli. Cosa pensi dell'ortica?

– Che è meglio non prenderla in mano, perché punge.

– Io invece ti dico che è ottima per fare il risotto. Tu pensi "secchione", io dico "intelligente"; tu pensi "ciccione", io dico "forte". L'intelligenza e la forza sono ingredienti ottimi per cucinare buon calcio.

Domani pomeriggio portami Dante e Spillo, voglio fargli un provino.

– Al campo? – chiede Tommi.

– No, qui al ristorante. Alle quattro. Vi aspetto in cucina.

Tommi, un po' imbarazzato, guarda la mamma. Lucia sorride: sente che la squadra che sta per nascere le piacerà tantissimo.

4
UN PROVINO
ALLA PANNA

Dante si è addormentato tardissimo per l'emozione e quando ha preso sonno ha sognato di essere un numero 10 nella finale della Coppa del Mondo. Peccato che la mamma lo abbia svegliato proprio nel momento in cui stava segnando il gol decisivo...

A scuola Dante si diverte quasi più che al cinema: gli piacciono tutte le materie e quando fa i compiti in classe è allegro come il papà di Tommi quando suona i piatti nella banda dei tranvieri. Ma questa mattina è distratto, la maestra lo ha già richiamato due volte. Tutti i compagni si sono guardati sbalorditi: una maestra che richiama Dante!

Dante è distratto perché ha in testa solo il provino del pomeriggio, di cui gli ha parlato Tommi la sera prima al telefono.

Pensava che fosse uno scherzo, nessuno gli aveva mai chiesto di entrare in una vera squadra di cal-

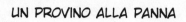

cio. Per lui riuscire a entrarci sarebbe un sogno bello come quello della notte scorsa. Il calcio gli è sempre piaciuto un sacco, quasi come la matematica, anche se con i numeri se la cava molto meglio che col pallone, perché per fare i conti non servono tanti muscoli e tanto fiato.

«Non sarà semplice passare il provino» pensa Dante mentre mangia i fusilli al pesto a casa. «Non sarà per nulla facile» si ripete dopo pranzo davanti allo specchio mentre osserva le sue gambette sottili che assomigliano troppo a due matite da disegno. Lo vedi qui accanto? Senza quei grossi occhiali non vedrebbe da un palo all'altro della porta.

Dante prepara la borsa da gioco con molta attenzione. Ci mette dentro, piegati bene, maglietta, calzoncini, calzettoni e le scarpe da calcio coi tacchetti di gomma quasi nuove. Le avrà usate un paio di volte, non di più. Poi scende ai giardinetti di via Pitteri dove ha appuntamento

DANTE

con Tommi e Spillo, che sono già arrivati e lo stanno aspettando.

Tommi sta palleggiando con il suo pallone bianco.

Spillo non è per nulla emozionato e ha dormito benissimo senza sognare nulla di particolare. A scuola si è distratto come al solito, ma solo per cercare di finire il sacchetto di patatine nascosto sotto il banco. A casa ha impiegato sette secondi netti per preparare lo zaino. Ha gettato dentro i vestiti a casaccio, senza piegarli, come cartaccia in un cestino.

Spillo non è preoccupato del provino, è preoccupato di perdere tempo in questo splendido pomeriggio di sole. Infatti anche adesso, mentre sta camminando coi suoi amici verso il ristorante, dondola la testa poco convinto e fa dondolare la catena di plastica che porta al collo.

– Ma ti sembra normale giocare a pallone in un ristorante? – chiede.

Tommi gli risponde: – Per te è come giocare in casa. In mezzo a tutta quella roba da mangiare darai sicuramente il massimo...

Dante scoppia a ridere. Spillo cerca di afferrare con una presa da wrestling Tommi, che invece scappa, rapidissimo.

Arrivano al ristorante così, prendendosi in giro e rincorrendosi sul marciapiede.

Gaston Champignon è in cucina con le maniche rimboccate e ha in mano un pennellino. – Ben arrivati, *mes amis*!

Spillo si avvicina a curiosare in una scodella piena di una crema gialla: – Ma lei è un cuoco o un pittore?

– Sono un cuoco pittore – risponde Champignon. – Questa non è vernice, sono uova sbattute con acqua, che ora spalmiamo col pennellino sulle roselline. *Voilà!* Ora faccio rotolare le roselline nello zucchero e le metto ad asciugare. Poi le poserò sui cestini di meringa alla panna montata e... questo dolce prelibato sarà pronto da servire.

– E quanto ci mettono ad asciugare?

Tommi e Dante si toccano col gomito e si godono lo spettacolo del loro amico Spillo che si mangia con gli occhi le roselline imbiancate di zucchero.

– Non ti preoccupare, Spillo – risponde sorridendo il cuoco. – I vostri dolci sono già belli e pronti. Vi stavano aspettando. Prego, accomodatevi.

I tre ragazzi si voltano e sopra il tavolo apparecchiato, accanto ai fornelli, vedono tre piattini con altrettanti cestini di meringhe con panna montata e roselline glassate. Sembrano piccoli nidi bianchi che contengono uccellini di zucchero.

– Questi sono i provini che piacciono a me! – esclama Spillo avventandosi sulla sedia.

– Credo proprio che lo supererai a pieni voti... – gli dice Tommi.

Si accomoda anche Gaston Champignon: – Allora, ragazzi, mentre mangiate vi spiego il mio progetto. Come vi avrà anticipato Tommi, voglio creare una squadra di calcio per disputare il prossimo campionato. Io sarò l'allenatore e voi, se volete, sarete i miei giocatori. Il provino è tutto qui: dovete solo dire se l'idea vi piace o no.

Dante, che ha briciole di meringa anche sugli occhiali, chiede, un po' sorpreso: – Non vuole vedere prima che cosa sappiamo fare?

– No, – risponde il cuoco – i borsoni che vi siete portati non servono a nulla. Per entrare nella mia squadra bastano entusiasmo e voglia di divertirsi. Chi non è bravo, lo diventerà. Quello che dobbiamo capire ora, per prima cosa, è in quale ruolo ognuno di voi può essere più utile alla squadra.

Il signor Fungo si alza e prende da una mensola

44

una piccola lavagna sulla quale sono scritte col gesso le dosi della torta sacher con le viole. Cancella tutto con la spugnetta e torna al tavolo.

– La squadra dovrà schierarsi in campo in questo modo: un portiere, due difensori, tre centrocampisti e un attaccante.

Sulla lavagna disegna un rettangolo da gioco e dei pallini bianchi numerati che corrispondono ai sette giocatori. Sotto al pallino più avanzato, l'attaccante numero 9, scrive il nome di Tommi.

– Tommaso sarà il nostro centravanti. Dobbiamo trovare gli altri sei giocatori. Quindi, veniamo a noi. In questo punto – spiega il cuoco indicando il pallino numero 10 – mi serve un regista di grande intelligenza, e questo potrebbe essere Dante.

Dante si mette a tossire: per l'emozione gli è andata di traverso una rosellina. Numero 10! Il numero di Platini, Maradona, Baggio, Del Piero... il numero dei calciatori più bravi!

Spillo invece si mette a ridere: – Ma non si è mai visto un numero 10 con due stuzzicadenti al posto delle gambe...

Anche Tommi è piuttosto perplesso. Dante è un grande amico, gli vuole bene da sempre, ma in quel

ruolo così importante a centrocampo non ce lo vede proprio.

Grazie ai passaggi perfetti di Mirko, il numero 10 dell'Accademia Blu, Tommi ha segnato valanghe di gol. E anche il numero 10 dei Diavoli Rossi è bravissimo, ha un dribbling eccezionale, salta gli avversari come birilli. Pensa Tommi: «Come potrà Dante affrontare avversari così forti?». E poi: «Senza i passaggi di Mirko e Saverio io riuscirò ancora a fare tanti gol?».

Gaston Champignon mostra il suo orologio da polso: – Vedi, Spillo, se io togliessi il cinturino, l'orologio continuerebbe a funzionare. Se invece tolgo un meccanismo piccolissimo che sta all'interno, le lancette si fermano, perché quel meccanismo è molto più importante del cinturino. Non è la dimensione delle cose a determinare la loro utilità. A noi serve un numero 10 che usi la testa più che le gambe: non deve correre lui, deve far correre la palla.

Dante ha preso coraggio: – Infatti Baggio diceva sempre: «La palla non suda, i giocatori invece sì».

– Esatto – riprende il cuoco. – Dante dovrà ricevere la palla dai difensori e passarla subito all'attaccante più libero. Non è necessario che corra molto,

l'importante è che sia veloce nella testa e che capisca in fretta il miglior passaggio da fare.

Dante ormai si è quasi convinto di poter essere un buon numero 10. – Farò passaggi veloci e in linea retta, perché la geometria ci insegna che la retta è la linea più breve per collegare due punti.

– *Superbe!* – esclama Monsieur Champignon.

– E sarà importante servire prontamente i numeri 7 e 11 che dovranno correre lungo le fasce laterali e fare i cross per Tommi – aggiunge Dante. – Le più grandi battaglie della storia, dagli antichi romani a Napoleone, sono state vinte con manovre di aggiramento.

– *Superbe! Superbe!* – esclama ancora il cuoco. – Un numero 10 che conosce la storia e la geometria è il massimo! Dante sarà il piccolo meccanismo che farà girare alla perfezione il nostro orologio. Provino superato.

Sulla lavagna, sotto il numero 10, scrive il nome di Dante.

– Naturalmente, in questi mesi, dovrai allenarti molto col pallone, perché il calcio non si gioca solo alla lavagna... Come te la cavi con i piedi?

Dante fa una smorfia un po' imbarazzata, tipo Spillo quando lo interrogano in classe: – Insomma...

– Ora vediamo – dice il cuoco prendendo una sedia e portandosi dietro la lavagnetta. – Spostiamoci in cortile.

Gaston Champignon piazza la sedia a una decina di metri di distanza, poi torna dai ragazzi, si fa dare il pallone da Tommi e lo consegna a Dante: – Adesso prendi la mira e cerca di infilare il pallone tra le gambe della sedia.

Dante sistema il pallone a terra, strofina il fazzoletto sulle lenti spesse dei suoi occhiali neri, prende la rincorsa e calcia.

Sarà per l'emozione, sarà per la mancanza di allenamento, ma il pallone, colpito con la punta della scarpa, neppure la sfiora la sedia, ma s'impenna e vaga stranamente nell'aria, come una farfalla, prima di ricadere su un pentolone dal quale esce spaventatissimo il povero Pentola che, al solito, stava sognando pesci e topi.

Tommi si mette le mani tra i capelli. Spillo si tappa la bocca per non ridere.

Dante si gratta la punta del naso. – Effettivamente mi serve un po' di allenamento…

Champignon lo tranquillizza: – Poco male. I tuoi piedi hanno solo bisogno di fare i compiti. E non c'è

maestro migliore del caro vecchio muro. Ogni po-
meriggio dovrai metterti davanti a un muro e calciare per una mezz'oretta di destro e sinistro. Così,
come faccio io: un calcetto col piede destro, uno col
piede sinistro, riprendendo ogni volta il rimbalzo
del muro. Vedrai che alla fine i tuoi piedi diventer-
ranno dei secchioni e avranno una buona mira...

Il cuoco ferma il pallone sotto la suola. Lo solleva
con la punta della scarpa e con un elegante palleggio lo riprende in mano. – E ora tocca a Spillo – dice. – Visto che sei grande e grosso, penso proprio
che tu sarai la colonna della difesa, il nostro numero 5. Gli attaccanti avversari rimbalzeranno contro
di te come le onde contro gli scogli! Vediamo come
te la cavi. Tommi, prendi il pallone, e tu Spillo prova a portarglielo via.

Tommi mette il pallone a terra, Spillo si avvicina
e cerca di toglierglielo allungando la gamba destra,
ma Tommi, velocissimo, sposta la palla e lo supera
in dribbling. Ma il dribbling non riesce del tutto
perché Spillo, vistosi superato, afferra l'amico alle
spalle e lo solleva sopra la sua testa.

– Ecco – dice soddisfatto Spillo. – Ora il pallone
ce l'ho io.

Tommi si lamenta, sgambettando in aria: – Rimettimi giù, brutto orso!

Gaston Champignon si toglie il cappellone bianco e si gratta la testa: – Credo proprio che l'arbitro ti fischierebbe il fallo. Nel calcio non è possibile sollevare per aria gli avversari.

Spillo posa a terra Tommi. – Peccato. Dovrebbero inserire questa regola. Allora sì che il calcio diventerebbe divertente *quasi* come il wrestling.

Il cuoco si rimette in testa il cappello a fungo: – Riproviamo.

Tommi, palla al piede, riesce ancora a scavalcare Spillo, che questa volta salta addosso all'amico e lo immobilizza a terra, prima di esultare: – Fatto! Palla recuperata! E senza sollevarlo in aria! L'arbitro non può dirmi niente!

– Credo invece che avrebbe molte cose da dirti prima di cacciarti dal campo – lo avverte il cuoco.

– Ma nel wrestling i lottatori salgono sulle corde del ring, si lanciano sugli avversari e l'arbitro non dice niente!

Tommi, sepolto sotto la pancia di Spillo, sta strillando: – Spostati! Pesi come un elefante, mi stai soffocando!

Gaston Champignon ora si massaggia il baffo destro e, come sai, significa che ha avuto una buona idea.

Prende un bidone della spazzatura e lo mette a un paio di metri dalla sedia.

Poi chiama Spillo: – Quindi a te piace tuffarti come i lottatori di wrestling?

– Ci può scommettere, signore. Mi piace un sacco e mezzo, perché un sacco solo è poco...

– Allora facciamo così: ora il tuo avversario cercherà di passare tra questa sedia e questo bidone. Tu dovrai fermarlo in tutti i modi, anche in tuffo. L'arbitro non avrà nulla da dire. Il Pirata è un nemico feroce: te la senti?

Spillo si gira il cappellino, cala la visiera sugli occhi e fa un'espressione da duro: – Io non ho paura di nulla.

Il cuoco tira fuori dalla tasca dei pantaloni un pennarello nero e disegna sul pallone di Tommi due occhi, di cui uno bendato, due orecchie, da cui pendono due anelli, un naso storto e una bocca con tre soli denti. – Guardalo, Spillo. E preparati: il terribile Pirata sta arrivando!

Spillo si mette in posa da lottatore, con le gambe

51

leggermente divaricate e le braccia aperte, come se dovesse per davvero sostenere l'assalto di un nemico. Il cuoco arretra di una decina di metri e calcia forte il pallone tra la sedia e il bidone. Spillo si lancia in volo sulla sua destra, afferra la palla-Pirata con tutte e due le mani e la trascina a terra con un urlo da battaglia.

– *Superbe!* – esclama il signor Fungo, con un applauso.

Tommi è rimasto a bocca aperta. – Spillo, forse non te ne sei accorto, ma hai appena fatto una grandissima parata – commenta poi.

Spillo lo guarda sorpreso: – Chi? Io?

Gaston Champignon prende la lavagnetta e sotto il pallino con il numero 1, quello del portiere, scrive: *Spillo*. Provino superato.

5
UN LAGO
PIENO
DI DUBBI

Sono passati alcuni giorni dal provino al *Petali in pentola*. Tommi, Spillo e Dante stanno camminando verso la loro scuola. Sono gli ultimi giorni di lezione. Il sole così caldo sembra messo in cielo apposta per annunciare ai ragazzi che le vacanze sono ormai vicine. Per questo, anche se in classe bisognerà affrontare le interrogazioni decisive, quelle che finiranno dritte sulla pagella, nessuno riesce a essere veramente preoccupato. Basta pensare a un'onda del mare e la paura del compito viene spazzata via come un castello di sabbia…

Infatti, come vedi, Tommi e Spillo stanno camminando allegramente, ridendo e scherzando di continuo. La cosa strana è che ride anche Dante. Di solito, quando si avvicina il termine dell'anno scolastico, Dante diventa sempre malinconico. Te l'ho già spiegato: stare in classe, ascoltare le maestre e

imparare tante cose a lui piace proprio, mentre in vacanza finisce sempre per annoiarsi.

Ma quest'anno no.

Quest'anno è tutta un'altra storia perché Dante è diventato il numero 10 di una vera squadra di calcio. Quest'anno l'estate sarà un lungo e appassionante allenamento in attesa del prossimo campionato: il suo primo campionato!

Altro che noia...

Dante è così esaltato dalla novità che sulla strada per la scuola continua a raccontare agli amici i progressi che hanno fatto i suoi piedi grazie al muro del cortile e grazie ai compiti che gli ha assegnato il cuoco.

Spiega: – Ieri ho centrato un vaso di fiori da almeno dieci metri! La portinaia mi ha rincorso con la scopa...

– E perché non hai mirato qualcos'altro? – gli chiede Tommaso.

– Perché ero sicuro che tanto non avrei mai centrato il bersaglio. E invece l'ho colpito in pieno... Chi se lo aspettava?

Ridono ancora.

Davanti al cancello della scuola media incontrano Duccio, Saverio e Giordano, che stanno discutendo della finale.

Il capitano dei Diavoli Rossi saluta Tommi: – Ci hai fatto prendere un bello spavento con i tuoi gol! Sei stato davvero grande. Meno male che il tuo allenatore ti ha fatto giocare solo cinque minuti...

– Grazie, Giordano – risponde Tommi, orgoglioso di ricevere dei complimenti da un avversario così forte. – Anche tu sei stato bravissimo. E purtroppo per noi, il tuo allenatore ti ha fatto giocare tutta la partita...

Saverio mette una mano sulla spalla di Tommi: – Ma l'anno prossimo il campionato lo vinciamo noi, vero?

– Ci scommetto l'autobus di mio papà – dice sicuro Tommaso. – L'Accademia Blu non perderà una sola partita!

Si salutano. Giordano raccoglie lo zaino e s'incammina insieme a Duccio e Saverio oltre il cancello.

Tommaso, Spillo e Dante proseguono verso le elementari. Sono tutti e tre nella stessa classe, la V^a B. L'anno prossimo andranno anche loro alle medie.

Dante è perplesso e non riesce a trattenere la domanda: – Tommi, perché non gli hai detto che il

55

prossimo campionato lo giocherai con noi e non con l'Accademia?

Tommi è un po' in imbarazzo: – Perché deve restare un segreto. Quando saremo pronti, faremo una sorpresa a tutti.

Spillo non sembra convinto della risposta. Guarda Dante e dice: – O forse non gliel'ha detto perché sa già che l'anno prossimo giocherà ancora con l'Accademia. Sai, Tommi è un campione. Non può stare in squadra con delle schiappe come noi...

– Non è vero! – reagisce Tommi. – Non ho mai pensato una cosa del genere.

– E allora perché non vuoi allenarti con noi ai giardinetti? – gli chiede Dante. – Palleggiare contro il muro è utile, ma sarebbe molto più divertente se potessimo passarci la palla io e te, così se sbaglio a colpirla tu puoi correggermi e darmi consigli preziosi.

– Dante ha ragione – prosegue Spillo. – Se devo fare il portiere, ho bisogno di qualcuno che mi alleni facendomi dei tiri in porta. La verità è che forse ti vergogni di farti vedere dai tuoi amici dell'Accademia mentre giochi con noi.

– Non è vero! – ribatte ancora Tommaso. – Io non mi vergogno. Voi siete i miei migliori amici.

Spillo si ferma di colpo davanti al cancello della scuola. – Ascolta: io e Dante oggi pomeriggio cominciamo ad allenarci ai giardinetti. Tu vieni?

Gli occhi stretti di Spillo e i grandi occhiali di Dante sono puntati su Tommi, che sembra in difficoltà, come quando ti dimentichi la risposta giusta o ti manca il coraggio per dire una bugia.

Poi risponde: – Oggi non posso.

All'uscita della scuola Tommaso vede Spillo e Dante già in fondo alla strada. Si sono incamminati verso casa senza neppure aspettarlo.

Torna da solo.

A pranzo Tommi racconta tutto alla mamma. Ha una gran confusione in testa e una strana voglia di piangere. Nemmeno i Simpson, la sua passione, riescono a farlo ridere.

Ci riesce un pochino la mamma, mettendogli in testa il suo cappello da postina.

– Non devi sentirti in colpa se vuoi restare all'Accademia – gli dice. – Dante e Spillo sono tuoi amici e accetteranno ogni tua decisione, ma devi essere sincero con loro, altrimenti si sentiranno presi in giro. Sei stato tu a proporgli il provino dal signor

57

Champignon. Davvero vuoi fare parte di quella squadra? Questo devi capire, subito. Pensaci bene e, quando avrai deciso, dillo ai tuoi amici e al signor Champignon. Anzi, sono sicura che una chiacchierata con Gaston può aiutarti a prendere la decisione giusta.

La mamma di Tommi non parla molto ma, quando deve dare un buon consiglio, trova sempre le parole migliori.

Tommi si lava i denti e scende al ristorante. I camerieri gli spiegano che il cuoco è andato al mercato dei fiori e che tornerà verso le cinque. Così Tommaso va in cortile a prendere la bici e decide di farsi un giro fino al parco Forlanini. La mamma gli ha raccontato che, quando pedala col vento negli occhi, si sente tra le nevi e i silenzi delle sue montagne.

Tommi pensa che l'aria buona della montagna lo aiuterà a prendere la decisione giusta, perciò, in piedi sui pedali, scala il cavalcavia dell'Ortica e poi si butta a tutta velocità in discesa, verso il parco, con l'aria fresca che gli accarezza la faccia.

Ogni volta che va al parco Forlanini Tommaso si mette in tasca una pallottola di mollica per i pesci del laghetto.

Gli piace vederli che salgono in superficie per piluccare, sembrano tanti piccoli calciatori che saltano per colpire di testa le palline di pane. Seduto sul molo di legno con le gambe a penzoloni, spera che prima o poi venga a galla anche la risposta giusta.

In mezzo al laghetto un piccolo motoscafo rosso radiocomandato ronza come un calabrone. Ecco, i mille dubbi che navigano nella sua testa fanno lo stesso rumore: «Cosa devo fare? Divertirmi con i miei amici o vincere con l'Accademia? Entrare nella nuova squadra del signor Fungo, che è molto simpatico e mi fa giocare sempre, o restare all'Accademia, dove posso mettermi in mostra davanti all'osservatore dell'Inter, anche se Walter mi fa giocare poco?».

Buttata in acqua l'ultima briciola, Tommi si alza e riprende la bici. A galla sono saliti solo pesci rossi, nessuna risposta utile.

Prima di tornare al ristorante, decide di passare dai giardinetti. Si ferma a una cinquantina di metri, nascosto dalla cabina telefonica, per non farsi vedere dai suoi amici che si stanno allenando.

Tommi non si diverte affatto a vedere i suoi migliori amici presi in giro dalla banda di quel presuntuoso di Loris. Vorrebbe attraversare la strada e correre a spiegare a Dante come si calcia un pallone e a suggerire a Spillo di mettere sempre un ginocchio a terra quando raccoglie la palla, così non rischia di farsela passare in mezzo alle gambe. I portieri veri mettono sempre un ginocchio a terra quando parano i tiri bassi, anche quelli facili.

Ma non ne ha il coraggio. Ha paura che anche Loris, il figlio dell'allenatore, gli chieda in quale squadra giocherà il prossimo campionato, e lui non ha ancora deciso.

SPILLO È PRONTO PER UNA NUOVA PARATA.

DANTE SVIRGOLA MALAMENTE IL PALLONE...

...CHE FINISCE SUL TETTO DI UN'AUTO GIALLA.

AH! AH! AH! OH! OH! UH! UH!

LA BANDA DI LORIS SEMBRA COLPITA DA UN'EPIDEMIA DI SOLLETICO!

Il pallone sarebbe finito chissà dove se un ragazzo biondo, con uno scatto velocissimo, non fosse riuscito a raggiungerlo e a fermarlo. Il biondino è tornato al semaforo di via Rubattino, dove lava i vetri delle

auto, palleggiando con i piedi e con la testa, prima di restituire la palla a Dante con un tiro di destro potente e precisissimo.

«È così che si calcia un pallone,» pensa Tommi ammirato «non di punta come fa sempre Dante...».

Di nuovo vorrebbe attraversare la strada per spiegarlo al suo compagno di classe, non sopporta che i suoi due migliori amici siano derisi a quel modo davanti a tutti. Ma ancora una volta gli manca il coraggio. Volta la bici e torna verso il ristorante.

Gaston Champignon sta sciacquando dei petali rossi al lavandino. – Ho trovato dei bellissimi garofani – spiega. – Ottimi da servire col formaggio. Ma tu non sei venuto per mangiare, vero?

Tommaso solleva le spalle.

Il cuoco si asciuga le mani nel grembiulone bianco e si mette a sedere al tavolino accanto ai fornelli: – Dimmi tutto, *mon capitaine*. Che in francese significa "mio capitano".

Tommi gli racconta dell'incontro con Giordano e Saverio davanti a scuola, dei dubbi di Dante e Spillo, della chiacchierata con la mamma, degli allenamenti ai giardinetti...

– Se un amico se la prende perché tu non giochi nella sua squadra, vuol dire che non è un vero amico – comincia Champignon. – Io invece sono sicuro che Spillo e Dante sono dei buoni amici, perciò non cambierà nulla se tu deciderai di non giocare con loro. Ha ragione tua mamma: l'importante è che parli chiaro. E non pensare neppure per un secondo che io possa rimanerci male. Se resterai all'Accademia, continuerò a essere il tuo primo tifoso. Però...

– Però? – lo incalza Tommi.

– Però pensaci bene. Il mio amico Platini, il più grande giocatore del calcio francese, giocava in una piccola squadra che si chiamava Saint Etienne. E ha portato quella squadretta fino alla finale della Coppa dei Campioni. È diventato un eroe per questo. C'è molto più onore a guidare alla vittoria una piccola squadra che una grande, piena di campioni, come l'Inter, il Milan, la Juve o il Real Madrid. Più è difficile l'impresa, più sarai soddisfatto e apprezzato quando l'avrai realizzata.

– Però gli osservatori delle grandi squadre vanno a vedere i ragazzi dell'Accademia e dei Diavoli perché sanno che lì giocano i più bravi. Giordano infatti l'anno prossimo giocherà nel Milan.

63

Il cuoco fa segno di no col mestolo di legno. – Il mio Platini giocava nel piccolo Saint Etienne, ma è arrivato lo stesso alla grande Juventus. E poi pensaci bene: se sei circondato da tanti compagni bravi, è più difficile vedere che sei bravo anche tu. Soprattutto se ti lasciano in panchina... Se in un piatto metti tanti ingredienti forti, è difficile distinguerli tutti. Ma nel risotto allo zafferano, nessuno ha dubbi: comanda lo zafferano, è quello il gusto dominante. Ecco: se vuoi, tu sarai lo zafferano della mia nuova squadra. Sarai l'ingrediente principale, e vedrai che gli osservatori delle grandi squadre verranno presto ad assaggiarti...

Tommi sorride.

– E poi, sia chiaro, – continua il cuoco – è vero che il nostro primo impegno sarà divertirci, ma questo non vuol dire che io non voglia vincere, anzi. Quando cucino non mi accontento di buttare dei fiori in pentola, io pretendo che i miei piatti siano buoni, vincenti! E infatti, modestamente, se a Parigi e a Milano la gente fa la fila per venire a mangiare da me, significa che sono un cuoco vincente... Non trovi? Ma ora andiamo, che è tardi. Credo di aver trovato i nostri due difensori e voglio mostrarteli, *mon capitaine*.

6
COME
UN CARILLON

Tommaso sale sulla piccola auto di Gaston Champignon, una di quelle scatoline a due posti che vanno di moda in città perché sono facili da posteggiare. È azzurra, con la scritta *Petali in pentola* sulle portiere e rose rosse disegnate dappertutto.

A dire il vero non è il massimo della comodità, soprattutto per un omone come il nostro cuoco. Per starci tra il sedile e il volante deve quasi trattenere il respiro.

A Tommi viene da ridere perché ripensa a una battuta di papà: «Il signor Champignon in auto mi ricorda quell'elefante che voleva entrare nella cabina telefonica».

«E ci è riuscito?» aveva chiesto Tommaso.

«Sì, ma aveva finito i gettoni…»

Tommi era scoppiato a ridere sul divano, mentre la mamma, che stava apparecchiando la tavola,

aveva guardato malissimo suo marito: – Faccio fatica a capire chi di voi due ha dieci anni e chi ne ha quaranta...

All'incrocio tra via Pitteri e via Rubattino il cuoco abbassa il finestrino e saluta il ragazzo biondo che gli sta lavando i vetri, approfittando del semaforo rosso. Ha la faccia sporca e i pantaloni strappati.

– È stata una buona giornata, Becan? – chiede il signor Fungo.

– Così e così – risponde il ragazzo togliendo la schiuma dal parabrezza. – Le gente preferisce tenersi i vetri sporchi. Non so perché.

– Te lo dico io – spiega il cuoco. – Perché così possono mettersi le dita nel naso senza che nessuno li veda da fuori...

Il biondino sorride, prende la moneta, se la mette in tasca e ringrazia con una specie di inchino. Fa un saluto anche a Tommi che risponde con un cenno della mano.

C'è molto traffico in piazzale Loreto. È l'ora in cui tutti tornano a casa dal lavoro. La mini-auto di Champignon, però, riesce a infilarsi in ogni spazio, come il piccolo Tommaso quando in campo passa in mezzo alle gambe di difensori che sono il doppio di lui.

In pochi minuti arrivano a destinazione.

– Ci siamo – dice il cuoco spegnendo il motore.

Entrano in un palazzo, prendono l'ascensore fino all'ultimo piano e percorrono un lungo corridoio seguendo la freccia gialla con scritto *Sala di danza*.

Man mano che si avvicinano, sentono un rumore sempre più forte: sembrerebbero pallonate scagliate contro un muro. Pallonate e urla di battaglia.

Tommi e Gaston si fermano davanti a una vetrata, oltre la quale c'è una grande sala dalle pareti ricoperte di specchi. Fissata a ogni specchio c'è una trave di legno. Nella sala ci sono solo due ragazzine, identiche, sicuramente gemelle, che stanno combattendo per un pallone rosso. Tommaso intuisce subito le regole del gioco: hanno messo a terra due zaini e quella è la porta che vale per tutte e due. Chi conquista la palla, attacca e cerca di fare gol in mezzo agli zaini, chi non ha la palla difende e cerca di strapparla all'altra. Hanno entrambe i capelli rossi e il tutù.

Tommaso è impressionato dalla grinta che ci mettono. Sarà per gli specchi che moltiplicano la loro immagine, sarà per il baccano che fanno, ma sembra una partita undici contro undici...

Adesso quella con le trecce ha recuperato la palla e guarda se stessa riflessa in uno specchio. Tommi ha capito cos'ha in mente: scartare la gemella facendo carambolare il pallone contro lo specchio e riprendendolo alle sue spalle. Una triangolazione intelligentissima ma, quando sta per calciare la palla tra gli zaini, quella con la fascia, che era stata scavalcata, si butta in scivolata e fa volare a gambe all'aria la gemella.

– *Superbe!* – applaude Champignon.

– È fallo! Punizione! – urla la ragazza a terra.

– Abbiamo sempre detto che non esistono falli! – le risponde la sorella, che è corsa in fondo alla sala a recuperare la palla e ora proverà ad attaccare. Ma non fa in tempo a decidere quale dribbling ten-

LARA E SARA

tare, che viene travolta dalla gemella, lanciata come un treno.

– *Superbe!* – esclama ancora il cuoco.

Tommi non ha mai visto niente di simile. È a bocca aperta. Due tigri affamate in una gabbia non farebbero una zuffa del genere per una bistecca.

All'improvviso entra la signora Sofia, che sequestra la palla con la stessa espressione della portinaia di Dante, per nulla rassicurante: – Signorine, devo ricordarvi per la centesima volta che qui non siamo a San Siro, ma a un corso di danza. Andate a finire di prepararvi!

Le gemelle, a capo chino, vanno a raccogliere i loro zaini e tornano verso lo spogliatoio. Champignon apre la porta e quasi spinge dentro Tommaso.

– Signorine – dice il cuoco. – Lui è Tommaso, di cui vi ho parlato tanto.

La ragazza con le trecce sorride entusiasta: – Il nostro capitano? Piacere, io sono Lara. Dammi un cinque!

Tommi, un po' imbarazzato, colpisce la mano aperta della prima gemella, poi quella della seconda, che si presenta: – Piacere, capitano. Io sono Sara. Quando cominciamo gli allenamenti?

Tommi guarda il cuoco in cerca di aiuto. Gaston solleva le spalle come a dire "sei tu che devi decidere, stavolta te la cavi da solo".

– Beh... non so – balbetta Tommaso. – Io veramente... non ho mai giocato a calcio con delle ballerine...

Le gemelle tornano di colpo le due tigri di prima. Al posto del sorriso mostrano uno sguardo di sfida. Così sudate sembrano ancora più arrabbiate...

Lara dice: – Amico, noi non siamo ballerine. Noi siamo calciatrici costrette a danzare!

Sara aggiunge: – E se non ci vuoi in squadra, troveremo un altro capitano! E speriamo di incontrarti presto come avversario!

Si voltano e, a passo di carica, si dirigono verso lo spogliatoio.

Il capitano è rimasto senza parole. A Champignon scapperebbe da ridere, ma si trattiene.

Tommi allarga le braccia: – Ma sono ragazze...

– Occhio a non ripetere il solito errore, *mon capitaine* – gli suggerisce Champignon. – Non disprezzare i fiori prima di averli assaggiati. Quelle due ragazze hanno grinta da vendere, ed è la prima qualità di un bravo difensore. Ricordati la regola

numero uno: sono i buoni ingredienti che fanno buono il piatto! Aspettami qua adesso, che devo parlare un attimo con quel signore. Poi torniamo a casa.

È un signore molto distinto con degli eleganti baffi bianchi e uno strano cappello in mano, che sembra quello dei piloti d'aereo.

Tommaso resta seduto su una panchina di legno ai margini della sala di danza. Sta pensando: «Cosa direbbe la banda di Loris se mi vedesse giocare con delle bambine? È vero che non bisogna giudicare prima, ma un conto è mangiare dei fiori, un conto è avere in squadra due ballerine... Il signor Fungo è simpatico, ma sta mettendo in pentola ingredienti un po' troppo strani, forse è meglio se resto all'Accademia Blu...».

Sta pensando a tutte queste cose Tommi, mentre si guarda le scarpe da tennis, a testa bassa. Non si è neppure accorto che dallo spogliatoio è uscita una ballerina vestita di rosa. Le sue scarpette da ballo bianche sono silenziosissime. Ha i capelli neri raccolti sulla nuca, come la signora Sofia. Solleva la gamba destra e la posa elegantemente sulla trave di legno. Si piega fino a toccare la punta del piede

sinistro. Sono esercizi di riscaldamento prima della lezione. Ora fa piccoli passi sulle punte dei piedi, solleva le braccia e unisce le mani sopra la testa. Vede nello specchio un ragazzo pensieroso seduto sulla panchina, alle sue spalle. Gli chiede, senza voltarsi: – Sei un ballerino?

Tommaso solleva lo sguardo e osserva incantato la cosa più bella che abbia mai visto in uno specchio. Risponde senza neppure pensarci: – No, sono un calciatore.

Gli viene subito in mente il carillon di casa sua. È una scatola di metallo in cui la mamma mette gli anelli. Se la apri, suona una musichetta e una ballerina in punta di piedi con le mani sopra la testa danza girando su se stessa. Ed è esattamente così che la ragazza attraversa la sala da ballo per avvicinarsi alla panchina di Tommi: girando su se stessa, in punta di piedi, tenendo le braccia sollevate sopra la testa.

– Allora tu sei Tommaso, – chiede – il capitano della squadra di Lara e Sara?

Tommi si alza in piedi: – Sì, e tu come ti chiami?

– Egle.

– È un bel nome – dice Tommi.

– Sì, piace anche a me, perché mi ricorda il rumore dell'acqua: *glu, glu, glu...* Egle, Egle, Egle... A me piace tanto il mare.

– E il calcio ti piace?

– Non tanto, ma verrò a vedere le vostre partite, perché Lara e Sara sono mie grandi amiche. Quando cominciate gli allenamenti?

È come se all'improvviso tutti i pesci del Forlanini fossero venuti a galla per portare a Tommaso la risposta che aspettava.

– Domani pomeriggio ai giardinetti di via Pitteri – risponde sicuro l'ex giocatore dell'Accademia Blu.

– Ciao – dice Egle con un sorriso che a Tommaso sembra bello come il mare d'estate quando è calmo. E piroettando sulle punte torna verso gli specchi.

Tommi la segue incantato finché si accorge che qualcuno gli ha messo la mano sulla spalla, ma è una mano strana: senza pelle, senza carne, solo ossa.

Tommi si volta e si trova faccia a faccia con uno scheletro. Impallidisce e urla: – Aaaaahhhhh!!!!!!!

Le ballerine, che nel frattempo hanno riempito l'aula, scoppiano tutte a ridere.

Lara, divertita, domanda: – Capitano, ma le femminucce siamo noi o tu?

Sorride anche la signora Sofia che spinge avanti lo scheletro: – Tommi, ti presento il nostro amico Aiuto. L'ho chiamato così perché quando lo vedono per la prima volta le mie ballerine urlano: «Aiutoo-ooooo!». Lo scherzo che abbiamo fatto a te lo facciamo sempre alle nuove arrivate.

Tommaso ha ripreso colore: – Ma lei insegna a ballare anche ai morti?

– No – risponde la signora Sofia, prendendo un piede dello scheletro e portandolo vicino al teschio. – Aiuto mi serve per spiegare alle ballerine i movimenti corretti che devono fare. A forza di allenamento diventano snodate come lui, fino a portarsi una scarpetta vicino al naso.

È arrivato anche Gaston Champignon. – È ora di andare, campione.

Tommaso saluta tutti. Lara e Sara lo guardano in attesa di qualcosa. Tommi sa che cosa: – Domani pomeriggio alle tre, ai giardinetti di via Pitteri, cominciamo gli allenamenti. Vi aspetto.

AIUTO

In macchina non si dicono quasi nulla. Tommi fa solo una domanda prima di scendere per tornare a casa. – Crede che abbia fatto la figura del coniglio davanti a quelle ragazze?

– Solo un pochino – risponde Mister Fungo.

– A domani.

– A domani, *mon capitaine.*

La mattina dopo Tommaso cammina verso la scuola con Spillo e Dante, come al solito. Davanti al cancello delle medie incontrano Duccio, Giordano e Loris.

Loris dà un colpetto col gomito a Duccio e domanda con aria da bulletto: – Oggi pomeriggio fate ancora il circo ai giardinetti?

Spillo, stizzito, sta per rispondere: «Se vieni anche tu, proviamo un numero con gli animali...». Ma Tommaso lo precede: – Non è un circo, è la squadra che il prossimo anno ti batterà in campionato. La mia nuova squadra. Sì, ci alleniamo anche oggi alle tre ai giardinetti. Ti consiglio di venire: hai molto da imparare...

Non si sa chi abbia l'espressione più stupita, se i tre ragazzi delle medie o Spillo e Dante, ai quali

Tommi non aveva ancora comunicato la sua decisione.

Tommi mette un braccio sulle piccole spalle del suo nuovo numero 10 e l'altro sulle spalle larghe del suo nuovo portiere: arrivano a scuola così, camminando uniti. E, dopo le lezioni, torneranno a casa passandosi con i piedi una lattina schiacciata.

Ormai è deciso: saranno una squadra.

7
LA GRANDE SFIDA

Et voilà!, direbbe Gaston Champignon.

Quello che vedi è il primo, vero allenamento della nuova squadra voluta dal cuoco che, al centro dei giardinetti, dà ordini con il cucchiaio di legno. Indossa l'immancabile cappello a fungo ma, per l'occasione, anche scarpe da ginnastica bianche e una nuova tuta blu. Insieme alla tuta, ha comprato sette palloni di cuoio, che per ora rimangono nel sacco perché l'allenatore, tanto per cominciare, ha ordinato dieci minuti di corsa lenta.

Tommaso, da buon capitano, corre in testa al gruppetto. Per far passare più in fretta i dieci minuti prova a scambiare quattro chiacchiere con i suoi amici, ma ci rinuncia dopo le prime domande.

Dante e Spillo non gli rispondono neanche. Non lo fanno per maleducazione, ma perché non hanno fiato per rispondere. Sbuffano alle sue spalle come

caffettiere... È logico, loro non sono allenati come Tommi che per tutta la stagione ha giocato nell'Accademia Blu.

– Spillo, ho qui una bombola d'ossigeno! – urla Loris dalle panchine. – Ti serve?

Gli amici di Loris scoppiano a ridere.

Spillo fa finta di non sentire. O forse non sente per davvero, stremato com'è, con le orecchie che gli ronzano, tutto rosso in faccia. Si trascina sotto il sole caldo come se la catena di plastica che porta al collo pesasse un quintale. E appena il cuoco-allenatore fischia la fine dei dieci minuti, si lascia cadere a quattro zampe sull'erba dei giardinetti, con la lingua fuori.

– Mi sento come un soldato della Legione Straniera dopo tre giorni di marcia nel deserto... Ho i miraggi... Vedo i cammelli... Acqua... Datemi dell'acqua...

Tommi sorride: – Meno male che un portiere non deve correre...

– E meno male che io devo far correre il pallone... – aggiunge Dante, che ha goccioline di sudore anche sugli occhiali. – Confermo: il pallone suda molto meno di me.

Il cuoco prende dalla sua auto a fiori un cestello di bottigliette d'acqua e le passa ai suoi giocatori.

Spillo se ne versa un po' sulla testa per rinfrescarsi.

– Non preoccupatevi, ragazzi – dice Champignon. – Con qualche allenamento vi sentirete molto meglio. Ci vuole pazienza, come al ristorante: i piatti migliori vanno cucinati a fuoco lento.

Spillo sbuffa: – Io veramente sono già cotto...

– Il peggio è passato – lo consola l'allenatore. – Adesso ci mettiamo all'ombra e facciamo qualche esercizio da fermi per sciogliere i muscoli. Cominciamo con questo: allargate le gambe, piegatevi in avanti e con la mano destra scendete a toccare la punta del piede sinistro. Poi vi rialzate e fate il contrario: mano sinistra sulla punta del piede destro. Così...

Gaston Champignon mostra il movimento e i tre ragazzi lo ripetono davanti a lui. Non è un esercizio difficile, ma per colpa della pancia Spillo ha qualche problema a piegarsi: e infatti con le mani riesce ad arrivare poco sotto le ginocchia.

Naturalmente la banda di Loris non perde l'occasione per prenderlo in giro. Dalle panchine urlano: – Spillo, immagina di avere un pasticcino sulla punta delle scarpe e vedrai che ci arrivi!

Spillo li osserva da lontano con uno sguardo da lottatore di wrestling.

– Mister, posso andare a chiudere la bocca a quelle pulci? – chiede.

Il cuoco fa segno di no col cucchiaio di legno: – Lasciali perdere. Fa finta che non esistano.

– Ma mi disturbano e non posso allenarmi bene!

– È un allenamento anche questo – spiega Monsieur Champignon. – Durante le partite dovremo essere bravi a restare concentrati solo su ciò che accade in campo senza badare a quel che dicono in tribuna. Chiaro? Chiaro? Dico a voi, ragazzi! Chiaro?

Nessuno risponde. Tommi, Spillo e Dante sono immobili a bocca spalancata.

Gaston Champignon si volta e capisce perché: accanto al marciapiede di via Pitteri si è appena fermata un'auto lunga come un campo da tennis. Un macchinone nero, lucido e splendente, con sei portiere, tre coppie di ruote, una statuetta d'argento con le ali sul cofano e vetri scurissimi. Nessuno ha mai visto una cosa del genere in via Pitteri. Solo al cinema o in televisione.

– Tommi, è più lunga dell'autobus di tuo papà… – commenta Dante spolverandosi gli occhiali.

Dal posto di guida scende un uomo con baffi

bianchi, cappello e guanti di pelle, che Tommaso riconosce immediatamente: l'uomo elegante che parlava con Champignon alla scuola di danza.

L'autista apre la portiera centrale dell'auto nera, dalla quale smontano due gemelle dai capelli rossi, vestite con calzoncini, maglietta, scarpe da calcio e occhiali da sole scuri. Si dirigono con passo deciso verso il cuoco e gli stringono la mano.

– Perdoni il ritardo, Mister – spiega Lara, quella con le trecce. – Il nostro autista Augusto oggi non è in gran forma e ha sbagliato la strada un paio di volte... –. Poi si scambiano un cinque con Tommaso.

Spillo e Dante continuano a osservare senza capire. Sapevano che nel pomeriggio sarebbero arrivati due aspiranti difensori, ma non si aspettavano che quei due difensori fossero ragazze e che sbarcassero da una macchina del genere...

Il primo a riprendersi è Spillo,

AUGUSTO

che dice: – Forse il vostro autista ha sbagliato strada di nuovo. Questo è un allenamento di calcio, non un concerto rock.

Sara si toglie gli occhiali scuri e lo fissa: – Hai fatto bene a dirmelo. Pensavo che fosse un raduno di lottatori, visto che porti al collo la catena di John Cena.

Spillo spalanca gli occhi dalla sorpresa: – Conosci John Cena?

– Conosco tutti i lottatori di wrestling – spiega Sara sistemandosi la fascia tra i capelli. – E se hai voglia di finire sdraiato, ti mostro subito una mossa.

Spillo allunga la manona aperta: – Mitica! Una lottatrice! Credo proprio che andremo d'accordo! Dammi un cinque!

Sara colpisce la mano di Spillo, poi Lara fa lo stesso: – Dovremo andare d'accordo per forza. Tu sei il portiere, io e mia sorella saremo i terzini: noi tre insieme formeremo la difesa della squadra. Servirà una grande intesa tra noi, quando gli avversari ci attaccheranno.

– Ben detto, ragazza! – interviene Champignon. – Ma ora basta parlare, mettiamoci al lavoro. Ognuno prenda un pallone dal sacco e cominci a palleggiare per conto suo. Tu, Spillo, lancia in alto la palla e bloccala a due mani sopra la testa.

Le ragazze corrono a consegnare gli occhiali da sole all'autista Augusto, poi vanno a prendere i palloni nel sacco insieme ai nuovi compagni di squadra.

Gaston Champignon osserva i suoi giocatori al lavoro.

La palla di Tommaso non cade mai per terra. Destro, sinistro, destro, sinistro, testa, destro, sinistro, coscia...

«Quel ragazzo» pensa il cuoco con un po' di orgoglio «è un vero talento, col pallone fa ciò che vuole».

La palla di Dante invece è quasi sempre per terra... Destro, sinistro... e poi gli cade. La rincorre, riprende a palleggiare e gli scappa ancora... «Non avrà molto talento,» si dice Gaston «però quel ragazzo ha una gran voglia di imparare e migliorerà in fretta».

Le gemelle ci sanno fare. Non palleggiano bene come Tommi, ma si vede che col pallone hanno molta più confidenza di Dante. «Aveva ragione mia moglie,» pensa Champignon «quelle due ragazze danzano molto meglio col pallone che senza...».

Spillo non sarà agilissimo, ma le sue mani sem-

brano tenaglie. Quando afferra il pallone, non gli scappa mai. «Quasi come con le meringhe alle rose...» pensa il cuoco sorridendo tra sé, prima di soffiare nel fischietto.

– Bene così, ragazzi – li interrompe l'allenatore. – Ora mettetevi a coppie con un pallone solo. Lara con Sara, Tommi con Dante. State a 4-5 metri di distanza e passatevi la palla, usando tutti e due i piedi: destro, sinistro, destro, sinistro... Mi raccomando: passaggi precisi, sul piede del vostro compagno.

I ragazzi eseguono. Tommi dà qualche consiglio a Dante, che è orgoglioso di potersi allenare con un amico così bravo. Impara a colpire la palla nel punto giusto, a tenere il piede nella posizione corretta, a inclinare il corpo come si deve e, consiglio dopo consiglio, i suoi passaggi diventano sempre più precisi. Vorrebbe prendere nota di tutto su un quaderno, per non dimenticarlo, come fa ogni mattina con entusiasmo al primo banco, quando la maestra spiega.

L'allenatore fischia ancora: – *Très bien!* –. Che in francese vuol dire "molto bene". – Ora fate lo stesso esercizio, ma di corsa. Avvicinatevi un po' al vostro compagno, restate a un paio di metri di distanza, e arrivate fino in fondo al campo passandovi la palla. Forza, ragazzi! E mi raccomando: passaggi precisi!

Concentrato a seguire l'esercizio, il cuoco non si è accorto che Augusto ha attraversato il campo e ora è al suo fianco. – Monsieur Champignon, se vi fa piacere, mentre voi istruite i giocatori, io potrei allenare il vostro portiere. Modestamente, in passato sono stato un buon numero 1. E, come vede, lavoro ancora con i guanti...

Il cuoco risponde con un sorriso: – Con piacere! Ho proprio bisogno di un buon aiutante –. Gaston estrae dal sacco un pallone e, di scatto, lo lancia verso l'autista, che lo afferra con una presa sicura.

– *Superbe*, caro Augusto! Riconosco i riflessi del portiere di classe! Credo proprio che il nostro Spillo avrà un grande maestro.

La prima lezione parte proprio da quella presa sicura. Augusto mostra a Spillo le sue mani aperte che tengono stretto il pallone.

– Vedi, ragazzo? I miei pollici quasi si toccano. In questo modo posso frenare meglio la forza del tiro. Se invece tieni le mani più distanti e afferri la palla come afferreresti un vaso per sollevarlo, può scapparti in rete, soprattutto se il tiro è violento.

Spillo mette le mani sul pallone, avvicina i pollici, chiede: – Così?

– Perfetto – risponde l'autista. – Ora, se ti piazzi tra quei due alberi, io ti farò una serie di tiri e tu bloccherai la palla in questo modo. Bloccala davanti a te, non troppo vicino alla faccia, piegando leggermente le braccia. E piega anche un po' le ginocchia, saltellando sulle punte, così che se devi tuffarti sei più pronto a scattare.

Spillo si sfila la catena di plastica e la appoggia accanto all'albero che fa da palo, gira la visiera del cappellino sugli occhi, perché il sole ormai è basso, beve un po' d'acqua dalla bottiglietta di plastica che poi getta accanto alla catena, si mette in posizione con le gambe leggermente piegate e comincia a parare i tiri di Augusto.

La banda di Loris che, come al solito, era pronta a prenderlo in giro, resta senza parole. Spillo si lancia come un gatto da un palo all'altro. Sembra che abbia la colla sulle mani: quando la palla ci sbatte contro non si stacca più. E ogni volta che si tuffa sul pallone lancia un urlo, come se atterrasse un avversario sul ring.

Un vero spettacolo!

Insomma, il primo allenamento non poteva andare meglio. Tutti si sono impegnati al massimo e hanno imparato qualcosa.

Infatti quando il cuoco fischia la fine, ha la faccia di un allenatore soddisfatto.

Lara gli chiede: – Mister, come siamo andati?

Gaston Champignon si carica il sacco dei palloni sulle spalle e abbraccia la squadra con un'occhiata: – Vi siete divertiti?

Tutti rispondono: – Sì.

– Allora siete andati bene – conclude il cuoco. – Se vi siete divertiti, è stato un buon allenamento. Il vostro capitano ve lo spiegherà meglio: la nostra squadra è come un piatto. Lo sapete, io sono un grande cuoco. E qual è, Tommi, l'ingrediente principale del nostro piatto?

Tommi sorride: – Il divertimento.

– È così, ragazzi – saluta Champignon. – A domani! Divertitevi!

Il cuoco è appena partito sulla sua piccola macchina a fiori, quando Loris e i suoi amici si avvicinano ai ragazzi, che si stanno salutando.

– Ehi, bambine, – chiede Loris – domani tornate a

farci ridere o restate a casa a giocare con le Barbie?

Lara, che aveva già un piede sulla macchinona nera, torna indietro e mette il suo naso molto vicino a quello di Loris: – Adesso prendo la catena di Spillo e ti chiudo questa boccaccia.

Si avvicina anche Sara: – Ehi, bambino, ma quello che hai sul collo è un codino o un topo imbalsamato?

Gli amici di Loris non si aspettavano una reazione del genere e restano immobili sulle loro biciclette, in attesa della nuova mossa del loro amico. Tommaso, da buon capitano, capisce che è il momento di intervenire.

– Lara, Sara, non è il caso di litigare. Risparmiamo le forze per i nostri allenamenti –. Poi si rivolge all'ex compagno dell'Accademia Blu: – Loris, se proprio ti facciamo tanto ridere, perché non organizziamo una sfida?

Loris fa un sorriso da sbruffone: – Noi dell'Accademia contro di voi?

– Sì – risponde Tommi. – Tra due settimane saremo pronti.

– Ma tu ci hai giocato nell'Accademia, sai come siamo forti! Speri davvero di poterci battere con due femminucce, un secchione e un mangia-pasticcini?

La banda di Loris scoppia a ridere.

– Battervi forse no, – dice Tommi – perché abbiamo appena cominciato ad allenarci, ma sono sicuro che riusciremo a farvi almeno tre gol.

– *Tre gol*? Tu e i tuoi ridicoli amici pensate di riuscire a fare tre gol all'Accademia, che è arrivata alla finale del campionato?

– La sfida – ribadisce Tommi – è questa: se noi vi segniamo tre gol, voi ci lascerete allenare in pace e fino al prossimo campionato girerete al largo dai giardinetti; se non ci riusciremo, non ci faremo più vedere noi ai giardinetti.

– Tre gol? Ma io accetto la sfida anche per uno solo! Non riuscireste a segnare neanche se giocassimo bendati… –. Gli amici di Loris scoppiano ancora a ridere.

Tommi resta serissimo: – Vi faremo tre gol. Tra due settimane sul campo dell'Accademia. Qua la mano, Loris.

I due ex compagni di squadra si stringono la mano, guardandosi negli occhi.

Tommi, prima di tornare a casa, passa dal ristorante per raccontare della sfida.

Il cuoco prende la lavagnetta dallo scaffale: – Il problema non sono i tre gol, il problema è che ci mancano ancora due giocatori per arrivare a sette. E ci resta poco tempo per trovarli.

– Forse uno l'ho già trovato – dice Tommi.

Si fa passare la lavagna, dove sono già scritti il suo nome e quelli di Spillo, Dante, Sara e Lara. Col gesso, sotto il puntino più spostato a destra, Tommi scrive *Becan*.

– Ho visto come corre e come calcia: è bravo – spiega.

Champignon si tocca il baffo destro: – Ottima idea, *mon capitaine*. Domani gli parlo io –. Poi si gratta il baffo sinistro e chiede: – Due sole settimane... Perché tanta fretta di lanciare la sfida, Tommi?

Tommi torna a casa. Papà ha appena iniziato a costruire un nuovo veliero pirata, mamma sta preparando la cena. Tommi va in camera dei genitori, apre il carillon e osserva la ballerina che danza. Sorride. Non gli fosse venuta l'idea della sfida, avrebbe dovuto aspettare l'autunno e l'inizio del campionato per vedere Egle in tribuna. E invece mancano solo due settimane. Ecco perché tanta fretta. Ma non poteva confessarlo a Champignon...

8
E ADESSO SIAMO IN SETTE!

Secondo allenamento. A sorpresa Gaston Champignon ha portato i ragazzi nel cortile del *Petali in pentola* e ha spiegato: – Non c'è niente come una buona scala per rinforzare i muscoli delle gambe.

Così, uno dietro l'altro, i ragazzi sono scesi in cantina e sono risaliti più volte facendo dei grandi balzi a piedi uniti sugli scalini.

– I giocatori veri fanno questo esercizio legandosi alla pancia delle cinture di ferro – annuncia a un certo punto il cuoco. – In questo modo le gambe diventano più potenti. Noi dovremo arrangiarci con quello che abbiamo...

Gaston entra in cantina e dopo un po' esce con dei pesi, proporzionati al fisico di ciascuno. Spillo, che è il più robusto, saltella sulle scale tenendo in braccio un grosso prosciutto, Dante un barattolo di olio di oliva, gli altri delle scatole di pasta.

Dopo la serie di balzi, i ragazzi tornano di corsa ai giardinetti di via Pitteri. Ora il cuoco-allenatore passa alla parte tecnica. – Prendete i palloni dal sacco, uno a testa, e palleggiate per dieci minuti. Mi raccomando: tocchi morbidi, con il collo del piede, la palla non deve sentire dolore, trattiamola bene altrimenti in partita scapperà tra i piedi dei nostri avversari...

Spillo, che la lancia in aria e la blocca al volo con le mani, risponde: – Io la tratto benissimo, Mister. Con i guanti!

Tutti a ridere...

Gaston Champignon lascia i ragazzi con Augusto e approfitta dei dieci minuti in cui i suoi ragazzi sono impegnati a palleggiare per salire in macchina e raggiungere il semaforo di via Rubattino.

– Ciao, Becan. Come va la giornata?

– Maluccio, signor Champignon – risponde il ragazzo biondo, che ha in mano una spugna e un secchio di acqua e sapone. – Fa caldo, ci saranno 30 gradi, ma la gente, quando mi avvicino, alza subito il finestrino.

BECAN

– Forse pensano che vuoi lavargli la faccia invece del parabrezza... – scherza il cuoco, che poi gli racconta della squadra e del posto che lui potrebbe occupare come ala destra.

Becan s'illumina di gioia come un bambino davanti a una vetrina di giocattoli, poi però si spegne subito come un bambino che sa di non poter comprare quei giocattoli. – Ieri ho seguito da qui tutto il vostro allenamento. Avevo una gran voglia di buttare la spugna nel secchio e correre a calciare quei palloni nuovi... Ma non posso. Mio papà ha perso il lavoro e non riesce a trovarne un altro. Mia mamma deve badare ai miei due fratellini. I pochi soldi che guadagno lavando i vetri sono molto utili per la mia famiglia.

Il cuoco si strofina il baffo destro. – Possiamo fare così. Fingiamo di essere una squadra vera: io sono il presidente e ti do una paghetta per i tuoi allenamenti. Così non perdi i soldi che guadagneresti a lavare le auto e intanto ti diverti. Che ne dici?

Becan sorride: – Lei è molto gentile, ma io voglio guadagnarmi i soldi con il mio lavoro. Il pallone è un divertimento, non deve essere un lavoro per un ragazzo della mia età.

Champignon gli passa una mano sui capelli biondi: – Sei un bravo ragazzo, Becan. Hai ragione tu. Scusami.

– Lei non deve scusarsi, signor Champignon. Se ora mi permette di lavarle il parabrezza, io accetterò i suoi centesimi. E se sarò un po' più fortunato e raccoglierò altri soldi, magari più tardi posso raggiungervi e giocare un po' con voi.

Il cuoco torna al campetto con i vetri puliti, spiega ad Augusto com'è andata con Becan e fischia per richiamare i ragazzi.

– Mettetevi in fila uno dietro l'altro, ognuno con la palla al piede. Io torno subito.

Gaston va a prendere nell'auto uno scatolone di bottiglie di plastica piene d'acqua, che allinea una dietro l'altra sul campetto.

– Partite uno per volta e fate lo slalom con la palla al piede dribblando le bottiglie – dice. – Mi raccomando: usate entrambi i piedi per toccare la palla, un colpetto col destro, un colpetto col sinistro. E tenete sempre la palla molto vicina a voi, così in partita sarà più difficile portarvela via. Dopo l'ultima bottiglia, tirate in porta a Spillo, che vi aspetta tra quei due alberi. Capito? Bene. Parti, Tommi!

Anche le gemelle, una dopo l'altra, corrono tra le bottiglie, poi il giro ricomincia con Tommi. A interrompere l'esercizio è una strombazzata di clacson del macchinone nero, che è tornato e sta parcheggiando accanto al marciapiede.

Tutti si avvicinano.

Augusto apre la portiera e fa scendere un ragazzo biondo con i pantaloni stracciati e un secchio in mano.

Becan spiega a Gaston Champignon: – Questo gentile signore mi ha chiesto di lavare i vetri della sua macchina. E siccome sono tantissimi, mi darà i soldi che bastano per tutto il giorno. Anzi, per una settimana! Per cui, quando avrò finito, potrò giocare con voi!

Il cuoco sorride ad Augusto, poi dice ai ragazzi: – Se diamo una mano a Becan, lui finirà prima e noi potremo riprendere prima l'allenamento. Io in macchina ho un po' di stracci e qualche spugna. Che ne dite?

– Ottima idea! – esclama Spillo, che ha in mano una bottiglia. – Anche perché, con questo caldo, è un piacere buttarsi addosso un po' d'acqua… –. E schiacciando la bottiglia di plastica, getta uno spruzzo d'acqua in faccia a Sara...

Le gemelle, Tommi e Dante corrono a prendere le bottiglie dello slalom.

Lavare la macchina di Augusto diventa in un attimo una divertentissima e rinfrescante battaglia di spruzzi e di schiuma che finisce al fischio di Champignon: – Benissimo, ragazzi! I vetri sono brillanti, ora torniamo al lavoro. La sfida si avvicina, non dimenticatelo.

Tommaso ha ancora un po' d'acqua nella sua bottiglia.

La versa a terra e ascolta sorridendo il rumore che fa: *glu, glu, glu... Egle, Egle, Egle...*

Il signor Champignon spiega ai ragazzi il nuovo esercizio: – Tu, Dante, inizi l'azione e da centrocampo lanci la palla a Becan. Tu, Becan, la ricevi, corri fino in fondo, poi fai il cross per Tommaso. Tommi, dovrai tirare nella porta di Spillo e fare gol. Voi due, Lara e Sara, dovete cercare di intercettare il cross e impedire a Tommaso di tirare. Chiaro? Avete capito tutti? Bene, allora ognuno al proprio posto. Partiamo.

97

Spillo esulta di nuovo: – Mitica Lara! Con due difensori così non mi tireranno mai in porta! Mica male, capitano, no?

Tommi, ancora più sorpreso di prima, si toglie la terra di dosso prima di rialzarsi. Lara gli porge una mano. – Ho colpito la palla. Non ti ho fatto fallo, vero capitano?

– Tutto regolare – risponde Tommi. – Non ti preoccupare. Sei stata bravissima. Se giocherete con questa grinta, l'Accademia dovrà sudare per farci un gol. Torno subito…

Il centravanti va a dire qualcosa a Becan, mentre il cuoco fischia l'inizio di una nuova azione. Dante lancia Becan, che fa un altro cross. Tommi fa finta di correre verso il pallone, Sara e Lara scattano per anticiparlo come prima, ma stavolta il cross è più lungo (ecco cosa aveva chiesto Tommi a Becan…), il pallone infatti scavalca le due gemelle e raggiunge Tommi, che si trova libero e con un preciso colpo di testa fa gol. Lara e Sara, con le mani sui fianchi, guardano Spillo che si è tuffato invano. Il portiere si rimette in testa il berretto che gli era volato via: – Stavolta ci ha fregati lui…

Tommi scambia un cinque con Becan.

99

– È riuscito alla grande! Questo sarà il nostro "schema 1".

Gaston Champignon sorride soddisfatto e strizza l'occhio all'autista Augusto, che concorda: – La squadra sta crescendo bene, Mister.

Sara chiede a Becan: – Ma ti chiami come il grande campione inglese?

Il ragazzo risponde: – No, lui si chiama Beckham con la "k" e la "h". Io sono più povero e ho solo una "c". Becan è un nome molto comune in Albania.

– L'importante è che faccia cross belli come il Beckham con la "k" e la "h"! – commenta Tommi.

Un ragazzo alto, con un pallone da basket sotto il braccio, osserva.

La prima settimana fila via così: ogni pomeriggio un allenamento e una festosa battaglia di spruzzi attorno al macchinone delle gemelle per consentire a Becan di giocare invece di lavorare al semaforo.

C'è solo un piccolo particolare: manca ancora un giocatore...

Ogni giorno Tommi ricorda il problema a Champignon: – La sfida si fa sette contro sette e noi siamo solo in sei. Senza neppure una riserva...

Ma il cuoco resta tranquillissimo: – Non preoccuparti, capitano, sabato troveremo il ragazzo che ci manca.

– Perché sabato?

– Sabato verso le tre vieni al ristorante e te lo spiego.

Alle tre in punto di sabato pomeriggio Tommaso sale sulla piccola macchina a fiori di Gaston Champignon e insieme i due raggiungono il parco Forlanini.

– Quando mi servono degli ingredienti per i miei piatti – spiega il cuoco incamminandosi nel parco – vado al mercato dei fiori, perché so che lì ne trovo di tutti i tipi. Noi cerchiamo un ragazzo che giochi bene a calcio? Beh, questo mi sembra un buon posto per trovarlo. Non credi?

In effetti, come ogni sabato pomeriggio, anche oggi sui prati del Forlanini si giocano contemporaneamente almeno dieci partite. Il parco sembra un immenso formicaio di giocatori di ogni età che corrono e cercano di fare gol in porte improvvisate: due borse appoggiate tra l'erba, due alberi, due bastoni piantati a terra e uniti da una corda che fa da traversa... Dopo una settimana di lavoro o di

studio, queste "formiche" hanno una gran voglia
di divertirsi.

– Guardati attorno, capitano, e se vedi un ragazzino della tua età che ti sembra bravo, possiamo invitarlo nella nostra squadra.

Tommi e Champignon camminano attraverso i
prati, passano da una partita all'altra. A un certo
punto il cuoco si blocca: – Hai sentito, *mon capitaine?* Qualcuno ha detto *"bola"*, che in portoghese significa "palla"!

– Sarà un portoghese, – dice Tommi – non mi
sembra tanto interessante...

– No, credo che questa gente sia brasiliana, perché una squadra ha la maglia gialla del Brasile. Occhio, *mon capitaine*, potremmo aver trovato la ban-
carella dove scegliere il nostro fiore... Nessuno
gioca bene a pallone come i brasiliani.

La squadra in maglia gialla è composta da ragazzi. Gli avversari sono uomini a torso nudo, e qualcuno ha una pancia non proprio da atleta...

Si direbbe una sfida tra padri e figli. C'è molta allegria e tra un'azione e l'altra i giocatori scherzano
tra loro. I genitori stanno facendo una figuraccia,
perché i ragazzi sono troppo veloci e nel giro di cin-

que minuti segnano tre gol. Li segna tutti e tre un ragazzino riccioluto, che gioca come ala sinistra. Ha le gambe corte, ma è velocissimo e quando parte in dribbling non lo ferma nessuno. Forse dovrebbe passare un po' di più la palla ai compagni, che infatti si sgolano a ogni azione: – Joao, passa! Joao! Joao, passala!

Tommi guarda Champignon: – Joao.

Il cuoco risponde: – È mancino, come serve a noi.

Finita la partita, padri e figli vanno all'ombra sotto gli alberi dove alcune donne hanno preparato panini e limonata fredda. I giocatori si dissetano e continuano a scherzare sulla partita.

Il signor Fungo si avvicina, ma non fa in tempo a presentarsi che una signora gli chiede: – Ma lei non è il cuoco del *Petali in pentola*? Ci siamo stati e abbiamo mangiato benissimo.

Champignon, da grande attore, si toglie il cappello e fa un inchino spettacolare: – La ringrazio, lei è una vera buongustaia. E se

JOAO

disseta me e il mio piccolo amico, le svelerò i segreti dell'insalata di spinaci con violette...

I brasiliani si mettono a ridere e versano la limonata in due bicchieri di carta.

Il signor Champignon spiega alle donne alcune delle sue ricette, poi racconta la storia della squadra di calcio.

Joao accetta subito l'invito, entusiasta. Il cuoco assicura ai genitori del ragazzo che andrà a prenderlo in auto e lo riporterà a casa dopo gli allenamenti.

– Bisogna festeggiare, allora! – esclama Carlos, il papà di Joao, prendendo una chitarra.

Champignon se ne fa passare un'altra: – Noi francesi facciamo musica buona quasi come il vostro caffè...

Cominciano a suonare e, mentre tutti gli altri ballano e cantano, Tommi spiega a Joao la sfida che li aspetta tra una settimana.

Rientrati al *Petali in pentola*, il cuoco prende la lavagnetta e scrive *Joao* sotto l'unico puntino che non aveva ancora nome.

– Ora la squadra è fatta, *mon capitaine*.

– Tra una settimana questa squadra segnerà tre gol – risponde Tommi.

Uscendo dal ristorante, incrocia Sofia: – Buona sera, signora.

– Ciao Tommi. Egle mi ha detto di salutarti.

– Davvero?

L'ascensore è fermo al piano terra. Ma a Tommi è venuta una gran voglia di correre… Sale a piedi, facendo i gradini due alla volta.

9
NON PETALI, MA FIORE

Lo vedi come puliscono i vetri dell'auto di Augusto senza scherzare e senza buttarsi l'acqua addosso come facevano nei giorni scorsi?

I ragazzi vogliono finire il più in fretta possibile per ritornare ad allenarsi sul campetto.

Sai cosa significa?

Significa che manca poco alla grande sfida con l'Accademia Blu e che la tensione cresce.

Champignon se ne accorge perché i ragazzi, allenamento dopo allenamento, sono sempre più concentrati e attenti, come gli studenti negli ultimi giorni di scuola quando si avvicinano le verifiche e gli esami.

Oggi è martedì e il cuoco si sta dedicando in modo particolare al lavoro della difesa.

– Alleniamo l'anticipo, ragazze – spiega. – Lara,

mettiti alle spalle di tua sorella. Io adesso lancio la palla verso Sara, tu spunti da dietro e con il piede destro me la restituisci. Chiaro?

Lara esegue l'esercizio.

– Benissimo. Adesso con il piede sinistro – esclama il cuoco lanciando la palla con le mani.

Lara, spuntando alle spalle di Sara, colpisce la palla al volo e la calcia verso l'allenatore.

– Brava, Lara! – applaude il cuoco. – Adesso scambiatevi di posto. Tocca a te, Sara. Stesso esercizio: prima col destro e poi col sinistro. L'anticipo è importante. L'Accademia ha attaccanti molto veloci, dovrete essere brave ad arrivare sulla palla prima di loro. Forza...

La mamma di Tommi passa in bici con il borsone della posta. Suona il campanello e tutti la salutano con la mano.

Augusto ha appena spiegato a Spillo come parare i tiri rasoterra: – Devi mettere sempre un ginocchio a terra prima di raccogliere il pallone, così non rischi che ti passi in mezzo alle gambe.

Ora lo sta allenando sui riflessi: – Un portiere dev'essere pronto a scattare come una molla. Un secondo di esitazione può costarti un gol.

SPILLO È IN PORTA, MA DI SPALLE.

APPENA AUGUSTO BATTE LE MANI...

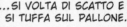

...SI VOLTA DI SCATTO E SI TUFFA SUL PALLONE.

BRAVO, SPILLO. ORA, ATTENTO. IL PROSSIMO È UN ESERCIZIO CHE FANNO SOLO I GRANDI PORTIERI, TE LA SENTI?

SE È ANCHE PER GROSSI PORTIERI, SONO PRONTO!

TOMMI, DANTE, BECAN E JOAO TIRERANNO IN PORTA NELLO STESSO MOMENTO. VEDRAI VENIRTI INCONTRO QUATTRO PALLE, TU PARANE IL PIÙ POSSIBILE.

QUATTRO?! NON SONO UN POLIPO! HO SOLO DUE BRACCIA!

CE LA PUOI FARE! TI HO VISTO MANGIARE QUATTRO GELATI IN UNA VOLTA E TE LA SEI CAVATA BENISSIMO!

SONO PRONTO!

PAK

THUD

BONK

BONK

MITICO! NE HAI PARATI 4 SU 4, SEI UN DRAGO!

MA ERA UN PALLONE O UN PULLMAN?

A fine allenamento Champignon vuole far giocare una partitella, ma i ragazzi sono dispari.

– Perché non chiedi a quel ragazzo se vuole giocare? – chiede a Tommi.

– Ma Ciro gioca solo a basket – risponde lui. – È così alto che lo chiamano Ciraffa!

– Però tutti i pomeriggi si ferma a guardarci... – dice il cuoco muovendosi per invitarlo a giocare.

Ciro accetta entusiasta: – Io sono nato a Napoli, dove giocava il grande Maradona! Il calcio è il mio sport preferito. Ma nella mia famiglia siamo tutti alti e tutti giocano a pallacanestro, così ho cominciato anch'io senza neppure deciderlo... A calcio sono molto meno bravo, ma io mi diverto di più con i piedi che con le mani.

– E allora usa i piedi – gli dice Champignon. – Se tutti facessimo soltanto le cose che sappiamo fare meglio, pensa che noia... Io sono bravissimo a fare i pasticcini, ma cucino anche la carne e il pesce. Mica posso servire a tavola solo bignè e cannoncini alla crema...

Ciro appoggia a terra il suo pallone da basket e comincia a rincorrere quello da calcio. Quattro contro quattro: ora la partita è equilibrata.

109

In effetti, con piedi così grossi e gambe così lunghe, Ciro è molto meno agile dei compagni, ma nei colpi di testa è insuperabile. E soprattutto si diverte come non gli capitava da tempo, tanto che alla fine domanda a Champignon: – Posso tornare domani?

– Puoi tornare quando vuoi. E se ti fa piacere, puoi venire anche sabato: sfidiamo l'Accademia Blu.

– Una partita vera? –. Quasi non ci crede Ciro. – Posso? Sul serio?

– Certo che puoi. Magari stai in panchina ed entri nel secondo tempo. Da noi le riserve giocano sempre. E visto che sei bravo con le mani, se serve, puoi anche sostituire Spillo in porta.

Oggi, giovedì, il cuoco vuole ripassare la lezione con i suoi centrocampisti.

Si è portato dal ristorante un vecchio pentolone, uno dei preferiti da Pentola per i suoi pisolini. Lo mette

CIRO

a una decina di metri da Dante e poi chiede al numero 10 di provare a centrarlo. È un esercizio di precisione.

Dante ormai ha imparato a memoria come si calcia un pallone: appoggia il piede sinistro accanto al pallone e lo colpisce col destro, usando il collo del piede, non più la punta. Sa che deve piegare le ginocchia e che non deve tenere il corpo troppo indietro, altrimenti il pallone s'impenna. Ormai i suoi lanci sono parabole precise che vanno quasi sempre a destinazione. Infatti con i primi due tentativi sfiora il pentolone, col terzo lo colpisce all'esterno e col quarto fa canestro, centrandolo in pieno.

Tommi è rimasto a bocca aperta.– Comincio a credere che il suo cucchiaio di legno sia una bacchetta magica... – dice al cuoco. – Non mi sarei mai aspettato un colpo del genere da Dante...

Champignon sorride: – Te lo dicevo: so riconoscere i buoni ingredienti... E comunque, senza i tuoi consigli e la fiducia che gli hai dato accettandolo in squadra, Dante non avrebbe mai centrato quella pentola. La bacchetta magica l'hai usata tu, Tommi.

Lara si complimenta con Dante: – Hai i piedi di un vero numero 10!

111

– Grazie, Sara – risponde Dante.

– Io sono Lara – lo corregge. – E non c'è bisogno che diventi rosso come i nostri capelli...

Dante diventa ancora più rosso e si gratta la testa, come fa sempre quando è in imbarazzo e non può mettere le mani in tasca.

Accanto al macchinone di Augusto si è fermata una moto gialla. Walter, l'allenatore dell'Accademia, si toglie il casco e avanza verso Champignon:
– Allora avevo capito male: sabato faremo una sfida di cucina. Vedo che vi allenate con le pentole...

Il cuoco gli stringe la mano: – No, ha capito benissimo. Faremo una sfida di calcio contro i suoi campioncini.

– Davvero pensate di poterci segnare tre gol? Mi dicono che vi allenate solo da due settimane. Siete tutti qui?

– Sì, siamo tutti qui – risponde Champignon. – E proveremo a segnarvi tre gol. Questa è la sfida.

– Avete in squadra anche due ragazzine... Per rendere la partita un po' più equilibrata, noi dell'Accademia Blu potremmo giocare con un giocatore in meno: sei contro sette. Che ne dice, signor Champignon?

Champignon non fa in tempo a rispondere. Dopo tanto allenamento sull'anticipo, le gemelle gli rubano la risposta...

Lara esclama: – Noi giochiamo solo sette contro sette.

Sara aggiunge: – E a fine partita vedremo quanti gol avrà fatto suo figlio Loris contro queste due ragazzine...

Interviene Champignon: – Concordo: la sfida è ad armi pari, sette contro sette. E sabato sera lei e i suoi ragazzi sarete ospiti nel mio ristorante. Comunque vada, festeggeremo insieme.

– Sarà un vero piacere – risponde l'allenatore dell'Accademia.

– Con una sola precisazione – aggiunge il cuoco. – Se segniamo i tre gol, voi dell'Accademia poi laverete i piatti.

Walter sorride: – Allora credo proprio che dovrà arrangiarsi con la sua lavastoviglie...

Champignon gli porge la mano: – Ci vediamo sabato alle tre sul vostro campo.

– Vi aspettiamo – risponde Walter, stringendo la mano all'avversario.

I ragazzi lo guardano mentre torna alla sua moto.

113

– Ecco da chi ha preso quel simpaticone di suo figlio Loris… – dice Sara.

– Ben detto, Lara – commenta Dante.

– Sono Sara – lo corregge Sara.

Venerdì, all'ultimo allenamento, Champignon al-
lena gli attaccanti.

Becan da destra e Joao da sinistra fanno cross a
ripetizione per Tommaso che li raccoglie e indirizza
verso la porta: di destro, di sinistro e di testa. Poi il
cuoco ricorda a Becan e a Joao che, quando la palla
ce l'avranno gli avversari, dovranno tornare veloce-
mente a centrocampo per aiutare Dante a proteg-
gere la difesa.

Infine chiede a Tommi di esercitarsi nel "cucchiaio". Il cucchiaio è un tiro molto particolare e molto
difficile da eseguire: bisogna colpire la palla nella
parte inferiore, con la punta del piede che va quasi a
scavare la terra come un cucchiaio nel burro. In questo modo, se colpita bene, la palla disegna una specie di arcobaleno nell'aria, si alza e poi si abbassa al-
l'improvviso in rete, alle spalle del portiere.

– Durante la finale mi sono accorto che Beppe ha
un difetto – spiega Champignon. – Il portiere del-

l'Accademia è molto bravo ma sta sempre un passo
di troppo fuori dalla porta. Ricordatelo domani: invece di tirare solo di potenza, quando arrivi al limite dell'area e vedi Beppe fuori dai pali, prova il cucchiaio. Io adesso mi metto tra il pallone e il portiere,
faccio da barriera: tu prova a scavalcarmi colpendo
la palla a cucchiaio.

Tommi prova cinque, dieci, venti, trenta volte,
finché l'arcobaleno gli riesce alla perfezione e la
palla, calciata nella parte inferiore, scavalca con
dolcezza il cappello a fungo di Champignon e finisce tra le braccia di Spillo.

Il cuoco fischia la fine dell'ultimo allenamento e
chiede ai ragazzi di sedersi all'ombra degli alberi.

– Ragazzi, eccoci arrivati alla nostra prima partita.
Voglio dirvi innanzitutto che siete stati bravissimi:
ognuno di voi si è impegnato e ha fatto grandi mi-
glioramenti. In queste due settimane abbiamo suda-
to, abbiamo scherzato, ci siamo divertiti e abbiamo
imparato a conoscerci meglio: è così che nasce una
vera squadra. Eravate dei petali e state diventando
un fiore solo. È questa l'unica raccomandazione che
vi faccio per la partita di domani: dimostrate di essere una squadra. Loro sono più forti, più allenati, vin-

ceranno senz'altro. Non importa. E non importa neppure se non riusciremo a fare i tre gol. Non è questa
la sfida, ragazzi. La vera sfida è dimostrare che siamo
una squadra. Ci faranno un gol, due, tre... non importa. Noi correremo, faremo ciò che abbiamo imparato e ci batteremo fino alla fine. Ognuno aiuterà il
compagno in difficoltà, correrà anche per lui, perché
voi non siete sette petali, ma un fiore solo. Non dimenticatelo mai. La seconda raccomandazione ormai la sapete a memoria: divertitevi, ragazzi! Perché
se l'Accademia ci segna dieci gol, ma noi ci divertia-
mo più di loro, alla fine abbiamo vinto noi! E ora
aspettate un attimo...

Champignon va alla sua macchina a fiori e torna
con una grossa borsa blu. La apre e tira fuori sette di-
vise bianche, più quella scura del portiere, e le distribuisce ai giocatori: maglietta, calzoncini e calzettoni.
Spillo ha il numero 1, Lara il 2, Sara il 3, Becan il 7,
Tommi il 9, Dante il 10, Joao l'11, Ciro il 6.

– Il mio numero preferito! – esclama Dante, che
di 10 a scuola ne ha presi tanti, ma uno così emozionante mai. Un 10 tutto suo sulla divisa di una vera
squadra di calcio. Gli sembra di sognare...

Champignon sorride davanti alla sorpresa dei

suoi piccoli campioni. Le maglie sono davvero eleganti. Tommi sta studiando incuriosito la macchiolina gialla che appare dentro lo stemma stampato sul petto.

– Cos'è? – chiede.

– Una cipolla – risponde Champignon.

– *Una cipolla*?

– Sì – risponde sereno il cuoco. – Perché ho deciso che la nostra squadra si chiamerà le "Cipolline".

Tommi e Spillo si guardano, poi fissano l'allenatore sperando con tutto il cuore che stia scherzando: – Cipolline?

– Esatto, non vi sembra simpatico?

– Ma è un nome da femmine! – fa Spillo, quasi schifato, neanche avesse appoggiato la mani su una bava di lumaca.

Sara lo guarda malissimo: – Noi *siamo* femmine!

Tommi corre in aiuto all'amico: – Spillo ha ragione: una squadra di calcio non può avere un nome femminile!

– Ah, no? – chiede Lara. – La Juventus è un nome femminile ed è la squadra che ha vinto più scudetti!

– Ma un conto è Juventus, – dice Tommi – un conto è Cipolline! Ci prenderanno tutti in giro…

– Ricordati che a tagliare le cipolle vengono le lacrime agli occhi. Le Cipolline faranno piangere chi le prenderà in giro! – ribatte Sara.

– Ben detto, Lara! – approva Dante.

– Sono Sara – lo corregge Sara.

– E comunque – aggiunge Ciro – anche Maradona, il più grande calciatore di tutti i tempi, da piccolo giocava in una squadra che si chiamava *"Cebollitas"*, che in spagnolo significa proprio Cipolline, e nessuno si è mai sognato di prenderlo in giro. Anzi, era la squadra più amata in Argentina.

– Insomma, – interviene alla fine Champignon – dobbiamo votare. Alzi la mano chi è d'accordo con il nome Cipolline!

Tutti alzano la mano, tranne Spillo e Tommaso che si guardano per un paio di secondi, poi sollevano le spalle in segno di resa e alzano il braccio anche loro.

Il cuoco solleva il cucchiaio di legno verso il cielo:

– Allora è deciso: noi saremo le Cipolline!

10
UNA TEMPESTA
DI GOL

Eccoci di nuovo al campo dell'Accademia Blu, dove
è cominciata la nostra storia. Ricordi la finale persa
contro i fortissimi Diavoli Rossi?

Come vedi, in tribuna ci sono ancora i genitori e
gli amici degli ex compagni di squadra di Tommaso, anche la signora col cappellino bianco che aveva litigato con l'allenatore Walter. Sono tanti ma,
appena le due squadre entrano in campo, è come se
sparissero di colpo, perché il papà di Joao e i suoi
amici brasiliani cominciano a suonare i tamburi, a
cantare, a ballare e all'improvviso sembra scoppiato il più allegro e chiassoso carnevale del mondo...
Un carnevale giallo: infatti tutti indossano la maglietta della nazionale del Brasile.

Le squadre sono allineate a centrocampo, l'arbitro fischia e i ragazzi alzano le braccia per salutare
gli spettatori.

In quei secondi Tommi guarda la tribuna lontana, muove gli occhi nervosamente e finalmente trova ciò che cerca: Egle, una macchiolina rosa che solleva il braccio di Aiuto per rispondere al saluto dei giocatori. Anche uno scheletro farà il tifo per le Cipolline…

In cielo ci sono nuvoloni neri che non promettono niente di buono. L'arbitro chiama i due capitani al centro del campo e, prima di lanciare in aria la monetina, fa scegliere: – Testa o croce?

Vince Loris che ha scelto croce. Sarà quindi l'Accademia a battere il calcio d'inizio. I due capitani si stringono la mano.

Loris sorride: – Siamo ghiottissimi di cipolline…

Tommi resta serio: – Attento. Le cipolle fanno piangere.

L'arbitro fischia l'inizio della partita.

Champignon controlla l'orologio: non è ancora passato il primo minuto di gioco e le Cipolline hanno già subito un gol.

– Come antipasto non c'è male... – mormora il cuoco a Pentola, che dorme in panchina accanto a Ciro.

Spillo è a terra sconsolato: si è tuffato ma non è servito a niente.

– Non importa. È solo l'inizio. Coraggio! – lo rincuora Augusto, che si è piazzato alle sue spalle, dietro la porta, per dargli qualche consiglio.

I tifosi dell'Accademia applaudono.

Tommaso va a prendere la palla in rete e, mentre la riporta a centrocampo, dice ai suoi compagni:

– Non è successo niente. Forza, la partita comincia solo adesso!

Dante deve decidere se passare la palla a destra o sinistra, ma sia Becan sia Joao sono marcati dai loro terzini. «Forse è meglio un lancio centrale per Tommi, preciso come quelli che facevo nella pentola» pensa.

Ma una partita non è un allenamento. C'è molto meno tempo per ragionare. E poi Dante si sente le gambe pesanti, come se qualcuno gliele avesse riempite di ferro. Non è ferro, è l'emozione per la prima vera partita della sua vita, in una squadra vera, con un arbitro vero, davanti a un pubblico vero.

Comincia a piovere, un gocciolone, due, poi viene giù un gran temporale, che assomiglia tanto alla partita in corso: un gol, due, poi ne arrivano altri tre e il primo tempo finisce 5-0. Una tempesta di gol nella rete del povero Spillo.

Tommi sapeva che l'Accademia è molto più forte, ma non si aspettava un figuraccia del genere. In tutto il primo tempo non ha fatto un solo tiro in porta. Ha rincorso il pallone invano, è tornato spesso in difesa per aiutare i compagni, ma non c'è stato niente da fare. Dante è troppo emozionato e ha davanti un numero 10 che è più potente e molto più esperto di lui. E senza i passaggi di Dante, Becan e Joao non riescono a sfruttare la loro velocità.

Anche Spillo sembra troppo teso. Dopo i primi due gol è andato in confusione. Il quarto gol, una punizione di Duccio da molto lontano, gli è passato in mezzo alle gambe, mentre la gente in tribuna rideva e Augusto alle sue spalle gli spiegava: «Il ginocchio! Non hai messo il ginocchio a terra prima di raccogliere il pallone!».

Il portiere avrebbe voluto sprofondare sotto terra per la vergogna.

Solo le gemelle hanno lottato bene. Sono state le

123

migliori nel primo tempo. Non hanno potuto evitare i cinque gol, ma senza i loro interventi ne sarebbero entrati altri tre o quattro. Lara e Sara hanno respinto palloni di testa e di piedi, anticipando sempre Loris, che infatti non ha ancora segnato un gol.

A un certo punto la signora Sofia ha anche detto alla mamma di Tommi: – Forse dovrò prestare a mio marito altre mie ballerine…

La mamma di Tommi le ha sorriso, ma è preoccupata, perché sa a cosa sta pensando suo figlio. Sa che ci resterà malissimo.

«Non è colpa di Spillo e di Dante» pensa Tommi tornando verso lo spogliatoio. «È tutta colpa mia che ho organizzato questa sfida troppo presto contro avversari troppo forti e ho costretto i miei amici a subire questa figuraccia. È solo colpa mia. Sono uno stupido.»

Cammina a testa bassa. Non ha il coraggio di guardare la tribuna. Cosa potrebbe fare davanti a un sorriso di Egle?

Si sente in colpa anche verso i brasiliani, che gli hanno offerto la limonata fredda al Forlanini, lo hanno accolto come un vecchio amico, hanno cantato e fatto il tifo per tutto il primo tempo. L'avesse-

ro saputo prima, probabilmente, non avrebbero permesso a Joao di giocare in una squadra così scarsa...

Si sente così in colpa che non risponde neppure agli ex compagni dell'Accademia che lo prendono in giro. Gli sembra la giusta punizione. Quella che si merita.

– Nel secondo tempo potreste far entrare quello scheletro che c'è in tribuna – scherza Loris. – Mi sembra molto più vivo di voi...

Duccio sorride: – Secondo me è morto dal ridere durante il primo tempo, dopo aver visto il quarto gol...

Tommaso vorrebbe scappare e correre fino al laghetto del parco Forlanini per dare da mangiare ai pesci... Per la prima volta pensa che forse non avrebbe mai dovuto lasciare l'Accademia e formare una nuova squadra.

Anche il papà di Loris fa lo spiritoso con Champignon: – Se vuole, finiamo la partita qua. Troviamo la scusa del temporale e diciamo che la partita è sospesa, così evitate un risultato troppo pesante...

Il cuoco risponde con un sorriso: – Non si preoccupi. Anche in cucina la mia specialità sono i secon-

di. Vedrà che nel secondo tempo le cucineremo una bella sorpresa.

Gaston Champignon entra fischiettando nello spogliatoio con in braccio Pentola e trova i suoi ragazzi seduti sulle panche a testa bassa.

– Che cosa sono queste facce tristi? – chiede.

– Mister, ci hanno fatto cinque gol – risponde Sara.

– Mi divertivo di più a ballare sulle punte... – aggiunge Lara sconsolata.

– Ecco! – esclama il cuoco. – Questo è stato il vostro unico errore nel primo tempo: non vi siete divertiti. Vi siete spaventati per i palloni che entravano in rete e avete pensato solo al risultato. È un errore! Un grave errore! Noi siamo qui per divertirci, prima di tutto. E oggi è una giornata splendida per farlo. Con tutta questa pioggia, nel secondo tempo ci saranno delle pozzanghere fantastiche. Cosa c'è di più divertente di un tuffo in una pozzanghera? Becan, è più divertente sporcarsi col fango o pulire i vetri?

Becan sorride.

– Spillo, le hai mai viste le lotte nel fango? – chiede Champignon.

126

– Sono uno spettacolo – risponde Spillo con un filo di voce.

– E allora perché ti sei tuffato così poco? Hai fatto il portiere serio e ti sei dimenticato che tu sei un grande lottatore –. Il cuoco gli mostra il pallone: – Questo è l'avversario che ti ha steso per cinque volte. E tu lo lasci fare così? Non ti ricordi come l'avevi atterrato nel cortile del mio ristorante? Guarda invece ora come sorride soddisfatto! Non ti ho sentito fare neppure un urlo.

Champignon si strofina il pallone sulla tuta, toglie la terra, tira fuori dalla tasca un pennarello nero e disegna sul pallone della partita due occhi, di cui uno bendato, un naso e una bocca che sorride.

– Lo vedi come ti prende in giro? Lascerai che lo faccia anche nel secondo tempo? – chiede il cuoco, e lancia il pallone verso Spillo, che lo afferra, se lo porta vicino al naso e lo fissa serio come se stesse guardando negli occhi un avversario sul ring.

– Pirata, ti assicuro che non entrerai mai più nella mia rete, neppure se ti spara Capitan Uncino con una cannonata! – esclama.

– Così voglio vederti, Spillo! – applaude l'allenatore. – Se poi entreranno in rete altri palloni, non è

127

un problema... Anzi, a vedere quello che ti è passato in mezzo alle gambe io mi sono anche divertito...

Becan sghignazza e dà una pacca sulla spalla di Spillo.

– A me interessa solo che ti diverti e che giochi con passione. Voglio vederti urlare e sorridere. E questo vale per tutti, ragazzi. Non siamo a scuola, qui non esistono promossi o bocciati, buoni o cattivi. Dante, io so cos'hai pensato durante tutto il primo tempo: il numero 10 dell'Accademia è molto più bravo di me. Ho ragione?

Dante, che si sta asciugando gli occhiali, dondola la testa per dire sì.

– È vero, quel 10 è bravissimo ed è anche più grande di te. Ma sei proprio sicuro che lui sarebbe stato capace di centrare la pentola come hai fatto tu l'altro giorno?

– Il Mister ha ragione – dice Sara a Dante. – Hai i piedi di un poeta. Usali senza paura, cavolo!

Dante si rinfila gli occhialoni con un sorriso d'orgoglio.

– Invece di preoccuparci di quanto sono bravi loro, facciamo vedere che siamo un po' bravini anche noi. E, soprattutto, facciamo vedere che siamo una squa-

dra. Ricordate cosa vi ho detto ieri? Fiore, non petali.
Finora ho visto solo petali. Ognuno ha cercato di fare
al meglio la sua parte, si è impegnato, ma non ho visto nessuno correre in aiuto del compagno in difficoltà, non ho ascoltato incitamenti, consigli… Nel primo
tempo siete stati sette petali, nel secondo voglio vedere un fiore solo. Mettete una mano sulla mia!

Champignon allunga il braccio verso Tommi.

Il capitano guarda il suo allenatore e appoggia la
mano sulla sua. Poi si avvicinano Spillo, Sara, Lara,
Dante, Joao, Becan, Ciro che completano la pigna
di mani.

– Prima le nostre mani erano petali, adesso sono
un fiore solo – spiega Champignon. – Rispondete: le
Cipolline sono petali o un fiore?

– Un fiore – rispondono in coro i ragazzi.

– Più forte, non ho sentito bene… Siamo petali o
un fiore?

– Un fiore!! – urlano i ragazzi.

– Più forte, dovere riuscire a svegliare questo
dormiglione di Pentola. Siamo petali o un fiore?

– Un fiore!!! – urlano ancora i ragazzi sorridendo.
E finalmente il gatto in braccio a Champignon apre
gli occhi con uno sbadiglio.

129

– Bene. Ora bevetevi questo squisito tè al gelsomino che vi ho preparato e uscite a divertirvi. Ricor-
datevelo: chi si diverte, non perde mai.

Tommaso esce per ultimo. Il cuoco lo ferma e si
piega sulle ginocchia per parlargli da vicino: – *Mon
capitaine*, a mia moglie e a Egle piace il ballo, lo
sai. Proviamo a farle divertire? Prendi il pallone e
danza: là fuori, nessuno può farlo meglio di te.

11
E ORA TUTTI IN BRASILE!

L'arbitro fischia l'inizio del secondo tempo. Le Cipolline perdono subito la palla e l'Accademia si butta di nuovo all'attacco come ha fatto per tutto il primo tempo. Non sembra cambiato nulla. Il numero 10 dei blu si libera facilmente di Dante, resiste all'intervento di Lara e passa la palla a Loris che si trova solo davanti a Spillo. Finalmente anche lui ha l'occasione per segnare. In tribuna tutti si aspettano il sesto gol dei padroni di casa.

Loris alza lo sguardo, prende la mira e si accorge che il portiere ha uno strano sorriso sulla faccia.

Spillo ha capito che forse un modo c'è per evitare quel gol che sembra scontato. Con un gran balzo e un urlo poderoso si tuffa nella pozzanghera che il temporale ha creato davanti alla sua porta. Da terra si solleva un'onda d'acqua sporca che colpisce in pieno viso l'attaccante.

131

Loris si trova improvvisamente al buio e mentre si strofina gli occhi con le mani per ripulirsi dal fango, Spillo fa un secondo balzo e atterra sul pallone, che poi rinvia lontano. I tifosi delle Cipolline in tribuna si alzano in piedi ad applaudire, i brasiliani pestano con nuovo entusiasmo i loro tamburi.

– Sei grande, Spillo! – gli urla Lara.

Augusto, dietro la porta, stringe i pugni con gioia, come se avesse fatto lui la parata, mentre Loris, con la faccia sporca di fango, rincorre l'arbitro per chiedere il calcio di rigore.

– Ma quale rigore? Se non ti ha nemmeno toccato! – dice l'arbitro.

Il tuffo di Spillo ha dato la scossa a tutte le Cipolline, che finalmente combattono con entusiasmo e tengono testa all'Accademia Blu. La partita ora è equilibrata e bellissima. Un'azione da una parte, una dall'altra. Le gambe di Dante sono tornate leggere, l'emozione è scivolata via e, grazie ai suoi passaggi, Becan e Joao possono sfruttare la loro grande velocità, correre fino in fondo al campo e servire cross per Tommi. Come accade al quinto minuto del secondo tempo.

Attenzione…

Il gol più spettacolare che si sia mai visto su questo campo! Tommi e Becan si corrono incontro per abbracciarsi e vengono travolti dall'entusiasmo di Joao, Dante, Lara e Sara. Anche Spillo ha lasciato la porta e dopo una lunga rincorsa si tuffa nel gruppo. I ragazzi ora sono un abbraccio solo, un fiore solo con sette petali. Questo è un gol speciale: il primo gol nella storia delle Cipolline! È giusto che lo festeggino con tanta gioia.

La signora Sofia ha sollevato le braccia dello scheletro e lo fa danzare al ritmo dei tamburi brasiliani.

La mamma di Tommi agita una delle due scope che reggono lo striscione con scritto: *Tommi bravo, finirà in Nazionale!*

La seconda scopa la tiene in mano Egle. Gaston ha abbracciato Ciro in panchina e ora sta sventolando il cucchiaio di legno come una bandiera.

Walter, l'allenatore dell'Accademia, è più nero dei nuvoloni del temporale. Non si aspettava certo di subire un gol dalle Cipolline. I suoi ragazzi vogliono vendicarsi segnando subito altri gol.

I blu attaccano con rabbia, ma Lara e Sara sono diventate due sentinelle insuperabili. Si lanciano in ogni pozzanghera ed escono sempre con la palla al piede. Se sono in difficoltà, si buttano in scivolata tra le gambe degli avversari e li fanno rotolare a terra. L'arbitro fischia il fallo, loro si scusano, ma intanto la porta è al sicuro… Due vere tigri da combattimento. Ormai non si capisce neanche più di che colore abbiano i capelli: due piccole statue di fango.

Davanti a loro anche Becan, Dante e Joao fanno buona guardia. Si parlano di continuo, ognuno avverte l'altro del pericolo o consiglia la posizione migliore: «Attento al numero 7, Joao!», «Vieni più al centro, Becan, che sono solo!», «Tieni duro, Dante, sto arrivando!».

Ed è questo che fa felice Champignon, anche più dello splendido gol segnato da Tommi: vedere che le sue Cipolline ora giocano e si muovono come una squadra vera. I sette petali finalmente si sono schiusi in un bellissimo fiore. Un fiore che *sfiora* più volte il secondo gol.

A destra nessuno riesce a frenare la velocità di Becan, mentre a sinistra le finte e i dribbling di Joao fanno venire il mal di testa ai difensori, per la gioia della macchia gialla in tribuna, che non ha smesso un secondo di ballare e suonare.

135

Tommi poi è incontenibile. Il pallone sembra incollato ai suoi piedi, Duccio e gli altri lo rincorrono per rubarglielo, ma lui danza tra le maglie blu e sguscia sempre via. Caricato dal gol e dallo striscione tra le scope, crea pericoli su pericoli, ha già colpito una traversa e tirato almeno tre volte contro Beppe, il portiere dell'Accademia, che respinge tutto, come un muro.

Tommi sta quasi per arrendersi, quando sente il fischio di Champignon, che dalla panchina gli mostra il cucchiaio di legno. Allora il capitano capisce cosa deve fare.

TOMMI RICEVE LA PALLA DA JOAO...

SI LIBERA DI DUCCIO CON UNA FINTA...

E AVANZA FINO ALL'AREA DI RIGORE.

COLPISCE DOLCEMENTE LA PALLA...

...CHE DISEGNA UN ARCOBALENO SULLA TESTA DEL PORTIERE...

PRIMA DI ROTOLARE IN RETE: IL GOL DEL CUCCHIAIO!

BONK

POK

Le Cipolline si abbracciano ancora a centrocampo. La mamma di Tommi ed Egle sventolano le scope, lo scheletro Aiuto balla insieme ai brasiliani. Il gatto Pentola dorme in panchina.

– Ancora uno, ragazzi! – urla Spillo.

– Ancora uno e vinciamo la sfida! – esulta Dante.

Le Cipolline hanno a disposizione ancora cinque minuti per segnare il terzo gol che costringerebbe i ragazzi dell'Accademia a lavare i piatti. Tommi raccoglie il pallone in rete e lo riporta a centrocampo.

Ma prima che l'arbitro fischi la ripresa del gioco, c'è la sorpresa: Champignon chiama fuori proprio Tommi e lo sostituisce con Ciro.

Si sente un brusio in tribuna, i tamburi smettono di colpo di suonare. Ma come? Tommaso ha già segnato due gol, è stato il migliore, ha messo in crisi da solo tutta la difesa dell'Accademia. Se c'è un ragazzo che può segnare il terzo gol, questo è Tommi, che invece va a sedersi in panchina con i gomiti sulle ginocchia e il mento tra le mani. Mogio.

E i dubbi sulla mossa del cuoco crescono alla prima azione, quando Ciro, un po' per l'emozione, un po' per gli anni passati a giocare a pallacanestro, prende con le mani la palla che arriva nella sua area di rigore.

137

L'arbitro naturalmente fischia il rigore.

Ciro, imbarazzato, si scusa, Spillo lo consola:
– Non preoccuparti, tanto il rigore glielo paro.

Loris sistema la palla sul dischetto di gesso. Ha una gran voglia di fare il suo primo gol e di vendicare lo scherzo dell'acqua sporca. E invece Spillo gliene combina un'altra: si mette sulla linea di porta in attesa del tiro, ma con le spalle rivolte al tiratore.

Spillo rilancia il pallone verso Joao, che scatta velocissimo verso la porta dell'Accademia.

Il brasiliano fa cadere con un paio di finte il numero 6, ma un attimo prima che possa tirare in porta, viene intercettato in calcio d'angolo. Lo batte Becan, cercando di raggiungere la testa di Ciro che, altissimo, spunta come un campanile in mezzo alle case.

Nessuno dei blu può arrivare all'altezza di Ciro, che infatti salta indisturbato e con la fronte spinge il pallone in rete. Ecco il terzo gol delle Cipolline! Quello che fa vincere la sfida e costringerà i ragazzi dell'Accademia a lavare i piatti del *Petali in pentola*!

Tommi dimentica in un attimo la delusione per la sostituzione. Abbraccia Champignon, poi scatta in campo a fare festa con i suoi compagni di squadra, mentre Walter non si dà pace davanti alla panchina e urla ai suoi giocatori: – Polli! Polli! Siete dei polli!

E non ha ancora visto tutto… All'ultimo minuto di gioco l'arbitro fischia una punizione al limite dell'area a favore delle Cipolline, per uno sgambetto a Joao. Dante chiede il permesso di batterla.

Sistema il pallone per terra con la stessa cura con cui mette i libri nello zaino per andare a scuola. Poi si mette in bocca la punta del dito indice e lo solleva.

– Si può sapere cosa stai facendo? – gli chiede Lara.

– Sto studiando la direzione del vento per calcolare la forza del tiro – risponde serio Dante, che poi prende una breve rincorsa e calcia con la parte interna del piede destro.

La palla, grazie all'effetto impresso, aggira la barriera e termina lentamente in rete come una stella filante. Walter si mette le mani sugli occhi. L'arbitro fischia la fine: 5-4.

Lara e Sara saltano addosso a Dante e lo baciano sulle guance: una guancia per una, nello stesso momento. Dante, pietrificato dalla gioia, si sente di nuovo un semaforo: un semaforo rosso...

L'Accademia Blu ha vinto la partita, le Cipolline hanno stravinto la sfida. Stremati, sporchi, ma felicissimi, gli otto petali si abbracciano a centrocampo e tornano a essere un fiore solo. Un fiore di fango. Poi fanno festa con i genitori e gli amici in tribuna. Sorride anche Aiuto.

Gaston va a stringere la mano al suo avversario:
– Glielo dicevo che la mia specialità sono i secondi...

Walter sorride amaramente: – Comunque la partita l'abbiamo vinta noi.

– È vero – risponde il cuoco. – A battervi ci pensere-

mo nel prossimo campionato. Per ora ci basta festeggiare la sfida vinta. Ci vediamo stasera al mio ristorante. Io vi metterò a disposizione guanti e detersivo...

Dopo la doccia, tutti si danno appuntamento per la
cena al *Petali in pentola* e tornano a casa, tranne Egle,
ospite della sua maestra di danza, la signora Sofia.

È tornato a splendere il sole e Tommi invita Egle a
fare un giro in bici fino al parco Forlanini.

Le fa conoscere i pesci del laghetto, insieme getta-
no loro briciole di pane. Tommi le spiega che quei
pesci sono bravi a dare risposte.

– Come si fa?

– Basta imparare ad ascoltarli.

Egle si sporge e Tommi rivede riflesso nell'acqua il
sorriso che aveva visto nella sala di danza.

Comprano due cornetti dal carrettino dei gelati. Si
siedono su una panchina.

– Tu mi hai visto giocare, ora io devo vederti ballare.

– Quando faremo un saggio, te lo dico.

– Non puoi ballare un po' adesso?

Egle sorride: – Qui? Senza musica?

Tommi si alza dalla panchina, raggiunge una cop-
pia di ragazzi sdraiata sul prato e chiede in prestito la

radio per cinque minuti. Torna e la mette sulla panchina: – Ecco la musica.

Egle sorride ancora, si alza e comincia a danzare,
girando su se stessa, muovendo con grazia una mano
e stringendo il gelato nell'altra. Tommi ha l'impres-
sione che i pesci non stiano lì a pelo d'acqua per
mangiare il pane, ma per godersi il balletto, ed è
convinto che se avessero delle mani, applaudirebbe-
ro anche loro, come fa lui quando Egle si ferma.

– A casa ho una ballerina che ti assomiglia – dice.

Riprendono le bici e tornano in via Pitteri. Il papà di
Tommi è in casa e sta lavorando al suo nuovo veliero.

Saluta Egle e le chiede: – Sai perché le ballerine
sono sempre abbronzate? –. Egle non sa cosa rispondere. – Perché ballano sulle punte e così sono più vicine al sole…

Tommi mostra a Egle il carillon della mamma. Le
spiega: – Mio papà ha una grande passione per i velieri e per le battute stupide…

– Ma tuo papà non ha detto una sciocchezza:
quando ballo, io mi sento davvero vicino alle nuvole.

Verso sera Egle va a fare lezione di danza a casa
della signora Sofia. Tommi raggiunge Gaston nella

cucina del *Petali in pentola*. Lo segue mentre prepara dei petali di rose e gli dice: – È strano, Mister. Oggi ho perso, sono finito in panchina, eppure non sono mai stato così contento da quando gioco a pallone…

– Perché, secondo te? – chiede il cuoco.

– Perché sono stato felice di vedere i miei amici Spillo e Dante così entusiasti: uno ha parato un rigore, l'altro ha fatto gol…

– È per questo che ti ho sostituito oggi. Altrimenti i gol li avresti segnati tutti tu, perché sei il più bravo. Saresti stato felice, ma in modo diverso, più da egoista. La gioia più bella è quella che condividi con gli altri: una gioia da fiore, non da petalo.

– Cosa mangeremo stasera, Mister?

– Risotto alle rose.

– Il piatto che ha preparato quando ha conosciuto sua moglie?

– Esatto. Piace alle ballerine. Piacerà anche a Egle.

Quella sera, nella sala del *Petali in pentola*, le Cipolline e i ragazzi dell'Accademia Blu cenano allo stesso grande tavolo. Dante è seduto tra le due gemelle e non potrebbe chiedere di meglio. Spillo spiega a Beppe, portiere dell'Accademia, i segreti dei

suoi tuffi da lottatore. Tommi è vicino a Egle. Joao e Becan discutono di calcio con Mirko, il bravissimo numero 10 dell'Accademia. Ciro ha portato la sua chitarra e parla di musica con i brasiliani.

Duccio e Loris, invece, non hanno proprio una faccia da festa. Bisbigliano tra loro, in disparte. Forse hanno digerito male i quattro gol subiti o l'impegno preso con la sfida: non potranno più farsi vedere ai giardinetti fino al prossimo campionato.

A un altro tavolo siedono i genitori dei ragazzi e lo scheletro Aiuto, che il papà di Tommi saluta con un colpetto sul teschio: – Mangia, sei così magro...

Arrivati al dolce, i genitori delle Cipolline si radunano attorno a Champignon e parlottano a lungo. Alla fine, il cuoco comunica la grande sorpresa: – A luglio, come ogni estate, Joao torna in Brasile con i suoi parenti per le vacanze. Il Brasile è un paese splendido. Sarebbe bello poterlo accompagnare, andare in spiaggia e magari giocare qualche partita contro squadre di ragazzi brasiliani. Lì si gioca il più bel calcio del mondo e potremmo imparare tanto. Sarebbe bello... e infatti lo faremo! I vostri genitori sono d'accordo: a luglio le Cipolline sbarcheranno in Brasile! Mare, pallone e amicizia! Che ne dite?

Tommi e i ragazzi si guardano, convinti che si tratti di uno scherzo. Appena capiscono che è tutto vero, esplodono in urla di gioia. Il papà di Joao e Gaston imbracciano le chitarre e intonano qualche canzone. Mentre le prime coppie si alzano per ballare, Walter guida i ragazzi dell'Accademia verso i piatti da lavare.

– Lavali meglio di come batti i rigori! – dice Spillo a Loris.

– Ci vediamo al prossimo campionato – ringhia lui.

– Se avrai finito di lavare i piatti – commenta Sara.

Ah, dimenticavo: anche tu sei invitato in Brasile! Non puoi perderti le Cipolline sulla spiaggia di Rio.

A presto! Anzi, a prestissimo!

145

DIRITTO DI GIOCARE A CALCIO...
DIVERTENDOSI!

Alle sue Cipolline Gaston Champignon ricorda sempre che la prima regola è divertirsi, non vincere. Perché chi si diverte... non perde mai!

Beh, non è il solo a pensarla così: nel 1992 a Ginevra è stata scritta una *Carta dei diritti dei ragazzi allo sport*. Leggetela bene e pretendete che i vostri diritti vengano sempre rispettati!

1 ⚽ Il diritto di divertirsi e giocare

2 ⚽ Il diritto di fare sport

3 ⚽ Il diritto di beneficiare di un ambiente sano

4 ⚽ Il diritto di essere circondato e allenato da persone competenti

5 ⚽ Il diritto di seguire allenamenti adeguati ai suoi ritmi

6 ⚽ Il diritto di misurarsi
con giovani che abbiano
le sue stesse possibilità
di successo

7 ⚽ Il diritto di praticare sport
in assoluta sicurezza

8 ⚽ Il diritto di avere
i giusti tempi di riposo

9 ⚽ Il diritto di non essere
un campione

Gaston Champignon

CHI È LUIGI GARLANDO?

*Luigi
a tre anni*

Tra le tante cose che facevano infuriare mia mamma quando ero piccolo ce n'erano due in particolare: il lampadario della sala rotto e i cuscini sporchi d'inchiostro. Bastava che mi lasciassero solo in casa con mio fratello Ferruccio e la sala da pranzo diventava uno splendido campo di calcio. Il guaio è che in sala avevamo un insopportabile lampadario di cristallo, bello ma delicatissimo, una specie di testa con tanti orecchini di vetro: alla minima pallonata perdeva i pezzi.

Diventato un po' più grande, ho scoperto il divertimento della scrittura. Visto che ormai non avevo più l'età per farmi raccontare le fiabe, alla sera, prima di addormentarmi, me le raccontavo da solo, o meglio, inventavo delle storie e le scrivevo su un quaderno a quadretti. Il guaio, in questo caso, è che il sonno spesso arrivava prima che riuscissi a posare il quaderno e a mettere il tappino alla biro che così, rotolando nel letto per tutta la notte, macchiava cuscino e lenzuola.

Insomma, a me il calcio e la scrittura sono sempre piaciuti, infatti oggi sono un giornalista sportivo. Scrivo sulla *Gazzetta dello Sport*, quel giornale rosa che si pubblica a Milano, città in cui sono nato e cresciuto.

Prima di diventare giornalista, però, ho fatto per qualche anno l'insegnante di Italiano. Allora davo i voti agli studenti, ora li do ai calciatori. La differenza è che quando un ragazzino si prendeva un 4 in un tema non mi telefonava per protestare, mentre quando do un 4 sul giornale a un centravanti, spesso mi squilla il cellulare...

Luigi Garlando

Non sono veloce come Becan o Joao, non ho la grinta di Sara e Lara, non ho la potenza di Spillo né l'altezza di Ciro-Ciraffa, non ho i piedi buoni di Tommi né il lancio preciso di Dante, ma gioco a pallone lo stesso... Almeno una volta alla settimana, con i miei compagni di lavoro. E come spiega Gaston Champignon: io non perdo mai, perché mi diverto sempre! Modestamente, ho una certa classe, come potete vedere nella foto qui sopra...

Un abbraccio a tutti!

P.S. Se volete scrivere a me o alle Cipolline, questa è la mia e-mail: lgarlando@rcs.it

CHI È STEFANO TURCONI?

Stefano a tre anni

Sono nato in un paesello in provincia di Milano, nel 1974. Quando ero piccolo tutti i miei amici volevano fare i piloti di robot, io invece sognavo di fare il contadino, perché mi piacevano gli animali e il mio cartone animato preferito era "Heidi".
Purtroppo sono pigro! A me piace svegliarmi tardi, e quando mi hanno spiegato che in una fattoria ci si alza all'alba e si lavora tutto il giorno figuratevi che dramma!!!
Ho subito cambiato idea. Mi piaceva disegnare, e il pensiero che l'unica fatica fosse temperare la matita era allettante. Così decisi di fare il disegnatore.
Adesso vivo con mia moglie, che fa la sceneggiatrice di fumetti (guarda caso!). Nel tempo libero mi piace pasticciare con le tempere, andare a camminare in montagna e viaggiare in posti lontani. Mi piacciono i formaggi puzzolenti, i salumi grassi, il gelato alla stracciatella e il caciucco alla livornese.
Ah, ho realizzato il sogno di svegliarmi tardi la mattina! Peccato che poi mi tocca stare tutto il giorno attaccato al tavolo da disegno. Forse effettivamente fare il pilota di robot...

Stefano Turconi